"En esta 'vista panorámica' del ([...] Latina, Miguel Núñez lanza un llamado profético para la reevangelización de la región. Las creencias religiosas latinoamericanas son una mezcla entre el catolicismo romano, la santería y el animismo, las cuales han sido recientemente influenciadas por diferentes niveles de la teología de la liberación, del "evangelio" de la prosperidad y de otras formas de "cristianismo" que demandan poco arrepentimiento y aún menos santidad. La Biblia es tratada de manera demasiado temática, muy selectiva y alegórica.

Núñez llama a la iglesia a profundizar en el verdadero evangelio y a proclamar ese evangelio a través de una predicación expositiva de todo el consejo de Dios bajo la unción del Espíritu Santo. Tal vez la Reforma que nunca llegó a América Latina por fin llegará a transformar la región.

Este libro incluye suficiente instrucción práctica para que no sea solamente un llamado profético abstracto. ¡Este es un libro que todos los que se preocupan por el avance del evangelio de Jesucristo en América Latina *deben leer*!".

— Donald A. Carson, co-fundador de Coalición por el Evangelio (TGC) y autor de *El Dios que Está Presente*

"*El Poder de la Palabra para Transformar una Nación* es uno de esos libros que uno no deja hasta que lo termina, y aun terminándolo no logra cerrarlo. Este debe ser un libro de referencia, estudio y motivación para todo creyente auténtico que quiere servir en la misión de Dios con sencillez, amor, pasión y erudición".

— Otto Sánchez, pastor; director del Seminario Teológico Bautista Dominicano y co-autor de *Gracia Sobre Gracia*

"Este nuevo libro de Miguel Núñez es fácil de leer y llega en un momento clave en la historia de Latinoamérica. Cuando viajo por América Latina, veo un hambre creciente en la iglesia y especialmente entre los jóvenes por una fe relevante para el mundo de hoy y por un mensaje que pueda transformar las naciones.

Este libro del Dr. Núñez nos presenta ese mensaje de esperanza y transformación. Muestra que podemos aprender de la historia que cuando la Biblia es aplicada correctamente, naciones enteras logran una reducción en la corrupción y un alza tanto en el desarrollo económico como en el florecimiento humano.

Recomiendo a viva voz *El Poder de la Palabra para Transformar una Nación*".

— Darrow Miller, ex-miembro del staff
de la comunidad *L´Abri* con Francis Schaeffer
y autor de *Discipulando Naciones* y *Vida, Trabajo y Vocación*

"Un análisis deslumbrantemente revelador, legible y sabio sobre la condición espiritual y moral de toda Latinoamérica, con serias advertencias para los Estados Unidos también. Núñez muestra la debilidad de varios mensajes que no presentan el verdadero evangelio que han influenciado a Latinoamérica, y argumenta correctamente que la única solución es la valiente proclamación de toda la Palabra de Dios con poder —un poder capaz de transformar naciones enteras otra vez".

— Wayne Grudem, profesor de Teología y de Estudios Bíblicos
en Phoenix Seminary y autor de *Teología Sistemática*

EL PODER DE LA

PALABRA

PARA TRANSFORMAR UNA

NACIÓN

EL PODER DE LA

PALABRA

PARA TRANSFORMAR UNA

NACIÓN

*Un llamado bíblico e histórico
a la iglesia latinoamericana*

MIGUEL NÚÑEZ

Poiema Publicaciones
Medellín, Colombia

El poder de la Palabra para transformar una nación
Miguel Núñez
© Poiema Publicaciones, 2016.

Traducido con permiso de la obra *The Power of God's Word to Transform a Nation: a Biblical and Historical Appeal to Latin American Pastors* © Miguel de Jesús Núñez Salcedo, 2014, como trabajo de tesis doctoral para el Southern Baptist Theological Seminary. Traducción por Giancarlo Montemayor.

Poiema Publicaciones
info@poiema.co
www.poiema.co

Categoría: Religión, Cristianismo, Cosmovisión Cristiana

ISBN: 978-1-944586-31-7
Impreso en Colombia
SDG

Para Cathy,
mi compañera dada por Dios,
quien ha compartido mi vida de forma desinteresada
con el pueblo de Dios.

CONTENIDO

PRÓLOGO

por Robert L. Plummer, Ph.D.

El libro que tienes en tus manos fue presentado originalmente como la tesis doctoral del Dr. Miguel Núñez para el Seminario Teológico Bautista del Sur en Louisville, Kentucky (Estados Unidos). Cuando se me pidió que supervisara al Dr. Núñez, sentí como si le hubieran pedido a Josué que supervisara a Moisés. (Soy más joven que el Dr. Núñez y, por supuesto, tengo menos experiencia pastoral). Aprendí mucho al trabajar con este hermano maduro en la fe, y hasta el día de hoy recuerdo con caluroso afecto cristiano nuestras conversaciones y tiempo juntos. Ahora tengo el doble honor de escribir el prefacio de esta excelente obra.

La mayoría de los estudiantes de doctorado escriben su tesis sobre temas que esperan comprender mejor a lo largo del tiempo. Algunas veces toma décadas ver que las experiencias de los graduados de doctorado se emparejan con su conocimiento teórico y académico. El Dr. Núñez tomó la dirección opuesta. Después de muchos años de vivir una vida cristiana fiel, sin mencionar las casi dos décadas de asombroso liderazgo en la Iglesia Bautista Internacional ubicada en Santo Domingo, República Dominicana, el Dr. Núñez nos ha presentado un manual bien investigado, interesante y en lenguaje sencillo con el que podemos entender la forma en la que Dios quiere que el evangelio de Jesucristo impacte nuestras vidas y sociedades. Como líder de iglesia en Latinoamérica, el Dr. Núñez apela con pasión y contundencia a otros pastores de la región.

1

Durante cientos de años Latinoamérica ha sido considerada "cristiana" por sociólogos y cartógrafos. ¿Por qué, entonces, la mayoría de la sociedad latinoamericana no refleja el poder transformador del evangelio en sus relaciones, instituciones y gobiernos? ¿Acaso es porque el evangelio verdadero y sin diluir no ha sido abrazado por la mayoría de los "cristianos" latinoamericanos? ¿Qué se puede aprender al mirar a Estados Unidos en sus períodos de fidelidad e influencia evangélica, y más recientemente, en el declive y la degeneración de su vida espiritual?

En este libro el Dr. Núñez provee una visión de amplia gama. La iglesia no *solo* es llamada a predicar el evangelio (¡aunque sí es llamada a hacerlo!). La iglesia no debe *solo* enfocarse en plantar nuevas iglesias (¡aunque sí debe hacerlo!). Como pueblo redimido por Dios en un mundo caído, tanto la iglesia (y las iglesias) como los individuos cristianos deben ser la sal y la luz que permean la sociedad con el poder transformador del amor de Dios en Cristo.

Cuando la Palabra pura de Dios es predicada, creída, vivida y compartida, ¡vemos efectos asombrosos en los individuos, las iglesias y las sociedades! Podrías estar pensando: "Sí, estoy de acuerdo, pero ¿cómo exactamente se ve eso? ¿Puedes respaldar lo que dices con la Biblia? ¿Puedes ilustrarlo con estudio histórico? ¿Puedes darme datos específicos —tal vez hasta un ejemplo detallado de una iglesia fiel que ha seguido exitosamente este modelo de transformación centrada en el evangelio?". En este libro el Dr. Núñez responde precisamente a esas preguntas.

Robert L. Plummer, Ph.D.
Profesor de interpretación del Nuevo Testamento
The Southern Baptist Theological Seminary
Louisville, Kentucky, Estados Unidos

PREFACIO

ños atrás comencé a leer sobre lo sucedido en Europa después de la Reforma y sobre los cambios reportados en Estados Unidos posterior al Primer y al Segundo Gran Avivamiento. Fui conmovido y transformado por esa historia. Leer cómo la Palabra de Dios proclamada por hombres como Martín Lutero y Juan Calvino en Europa, y Jonathan Edwards y George Whitefield en Estados Unidos, cautivó mi corazón. Desde entonces, comencé a estudiar y meditar en por qué no hemos visto una transformación similar en América Latina, especialmente si consideramos que una versión del cristianismo llegó a Santo Domingo, República Dominicana, en 1492, y desde allí se expandió a toda la región. Misioneros protestantes han estado presentes en el centro y el sur de América por casi doscientos años, y aun así estas naciones todavía están por ver la transformación que ocurrió en muchos otros países después de la Reforma. Ver las condiciones sociales de los países latinoamericanos en donde el evangelio ha estado avanzando, además de producirme tristeza, me ha llevado a la reflexión. Este libro nace a raíz de toda mi investigación y reflexión respecto al tema.

Al terminar de leer sobre aquella historia, me percaté de que el evangelio proclamado por los reformadores no es el mismo que han recibido los países latinoamericanos. La fe evangélica entre los latinos ha sido vivida de manera muy personal y no ha impactado la vida nacional, como si el evangelio no fuera relevante fuera de las cuatro paredes de la iglesia. Aún más, me percaté de que la clase educada en América Latina (la que genera cambios culturales) ha sido poco alcanzada con el evangelio.

Este fue el comienzo de una idea que se convirtió en una investigación y, posteriormente, en este libro. A través de lo que escribo, intento explicar el poder intrínseco que existe en la proclamación de la Palabra, la cual es capaz de transformar individuos, familias, instituciones y naciones. América Latina, su presente y su pasado, serán el foco de nuestra atención, pero porciones de la historia contemporánea de Estados Unidos también nos servirán como contraste para mostrar cómo una nación que fue grandemente impactada por los principios bíblicos puede sufrir las consecuencias de distanciarse de los valores que la hicieron grande.

Agradezco a mi Dios por otorgarme el privilegio de poner por escrito un tema tan extraordinario como el del poder de Su Palabra. Agradezco a mi esposa por su apoyo durante estos treinta y cinco años de casados, donde ella ha contribuido grandemente como instrumento en la formación de la imagen de Cristo en mí. Agradezco la ayuda, el apoyo y el aliento de mis compañeros pastores de la iglesia que dirijo; también agradezco que me hayan permitido tomar el tiempo para realizar este proyecto. Muchas gracias al equipo de Aplus Edits en Louisville, Kentucky, por ayudarme en la edición del manuscrito.

Por último, quiero agradecer al Seminario Teológico Bautista del Sur y a los miembros de la facultad de enseñanza por proveerme la maravillosa oportunidad de realizar mi Doctorado en Ministerio en esta prestigiosa institución. Ese tiempo me sirvió para llevar a cabo toda mi investigación. Gracias al Dr. Matthew Hall por hacer las gestiones iniciales para que la tesis que dio lugar a este libro fuera posible. Dr. Robert Plummer, ¿cómo puedo expresar mi gratitud por su apoyo, consejo y aliento? Finalmente, quisiera agradecer al Dr. Albert Mohler por creer en el trabajo que nuestra iglesia y nuestra institución están haciendo para el progreso del reino de Dios. Su confianza y apoyo han sido una inspiración.

Miguel Núñez

Santo Domingo, República Dominicana

INTRODUCCIÓN

El propósito de este libro es contribuir al entendimiento de la condición en la que se encuentra América Latina con respecto a la expansión del reino de Dios. Esto incluye proveer bases bíblicas, teológicas, históricas y filosóficas para el tema central de este libro: La Palabra de Dios, cuando es verdaderamente aceptada, transforma nuestra sociedad. A través de este libro quiero invitar a los pastores y líderes latinoamericanos a ver la Palabra de Dios como el instrumento divino para transformar a la sociedad. Los cambios alrededor nuestro deben provenir de la predicación expositiva de la Palabra de Dios y de la articulación de la cosmovisión cristiana en tantos lugares y circunstancias como sea posible. Los líderes cristianos debemos creer en el poder de la Palabra si queremos ver la transformación que muchas naciones europeas experimentaron después de la Reforma. Dios parece estarse moviendo en medio de los latinos en estos tiempos; ¡debemos aprovechar el momento!

Un libro sin una meta establecida es de poco valor. Por tanto, inicié esta investigación con *tres metas* específicas en mente.

La primera meta es revisar la historia del movimiento protestante en América Latina, lo que revelará por qué la Reforma nunca afectó esta región del mundo. El conocimiento de esa historia es vital para entender las razones por las cuales nuestra región necesita ser reevangelizada. Paul Freston, profesor de sociología de Calvin College [Universidad Calvino], enfatizó la necesidad de un avivamiento en la región. Escribió: "No han existido reformas nacionales cristianas ni

5

protestantes en el Tercer Mundo como han existido en el norte de Europa".[1]

La segunda meta es establecer las bases bíblicas que nos enseñan cómo la Palabra de Dios, cuando realmente es aceptada, transforma la condición moral de las naciones. Dios dio Su ley a la primera nación fundada por Él, Israel, en el Monte Sinaí. Los Diez Mandamientos establecieron el marco de referencia o el código moral del resto de las leyes nacionales dadas a Israel. Moisés, inspirado por Dios, dijo al pueblo:

> Mirad, yo os he enseñado estatutos y decretos tal como el Señor mi Dios me ordenó, para que los cumpláis en medio de la tierra en que vais a entrar para poseerla. Así que guardadlos y ponedlos por obra, porque esta será vuestra sabiduría y vuestra inteligencia ante los ojos de los pueblos que al escuchar todos estos estatutos, dirán: "Ciertamente esta gran nación es un pueblo sabio e inteligente". Porque, ¿qué nación grande hay que tenga un dios tan cerca de ella como está el Señor nuestro Dios siempre que le invocamos? ¿O qué nación grande hay que tenga estatutos y decretos tan justos como toda esta ley que hoy pongo delante de vosotros? (Dt 4:5-8).

Una gran parte del tiempo la dedicaremos a estudiar la importancia de los Diez Mandamientos y remarcaremos las consecuencias que sufren los que los violan, utilizando a Estados Unidos como ejemplo. A través de estas leyes iniciales, Dios proveyó un lente —una cosmovisión— por el que podemos ver todo, incluyendo el mundo en donde vivimos.

Mark F. Rooker, profesor de Antiguo Testamento y Hebreo en el Southeastern Baptist Theological Seminary [Seminario Teológico

---

[1] Paul Freston, *Evangelical Christianity and Democracy in Latin America* [*Cristiandad evangélica y democracia en América Latina*] (Oxford: Oxford University Press, 2008), 35.

Bautista del Sureste], en Carolina del Norte, señala la importancia de estas leyes más allá de Israel. Escribe: "Los dos más grandes gobernantes de Europa Medieval, Carlomagno (742-814 d.C.) y Alfredo el Grande de Inglaterra (849-899 d.C.), establecieron sistemas legales basados en las leyes bíblicas que incluían los Diez Mandamientos. Las leyes de Alfredo (890 d.C.) comenzaban recitando los Diez Mandamientos, junto con porciones de otras leyes dadas por Moisés".[2]

Al pasar al Nuevo Testamento, pero manteniendo el desarrollo de la base bíblica para esta obra, seguiremos el curso de la expansión de la Palabra de Dios en el libro de Hechos con el fin de contemplar cómo la predicación de la Palabra comenzó a cambiar el mundo del primer siglo.

Aparte del recorrido narrativo en Hechos, la historia de la iglesia también nos muestra que el poder de la Palabra puede transformar una nación. Para el momento de la Reforma, Lutero expresó su confianza en el poder de la Palabra de Dios. Al mirar hacia atrás y ver los resultados, él escribió: "Yo solo pensaba, predicaba y escribía la Palabra de Dios; de otra manera no habría hecho nada. Y después, al dormir o tomar la cerveza de Wittenberg con Felipe [Melanchthon] y [Nicolás de] Amsdorf, la Palabra debilitó al papado como ningún príncipe o emperador había hecho. Yo no hice nada. La Palabra lo hizo todo".[3]

Junto con el movimiento de la Reforma, la historia cristiana de Estados Unidos revela el efecto que puede producir la Palabra en una nación.[4] Estados Unidos representa un buen ejemplo porque fue una nación fuertemente impactada por la exposición de la Palabra por más de 200 años, desde el arribo de los puritanos, y especialmente durante

---

[2] Mark Rooker, *The Ten Commandments, Ethics for the Twenty-First Century* [*Los Diez Mandamientos, ética para el siglo 21*] (Nashville: B&H Publishing Group, 2010), 1.

[3] Martin Luther, *Works of Martin Luther* [*Obras de Martín Lutero*] (Philadelphia: Muhlenberg Press, 1915), 399-400.

[4] William Barker y Samuel Logan (eds.), *Sermons that Shaped America: A Collection of Reformed Preaching from 1630 to 2001* [*Sermones que formaron a Estados Unidos: Una colección de predicaciones reformadas de 1630 a 2001*] (Phillipsburg, NJ: P & R Publishing, 2003).

los Grandes Avivamientos. Desafortunadamente, esta nación hoy sufre las consecuencias de sacar fuera de los salones de clases, de los edificios gubernamentales y de la sociedad en general la Palabra que les dio vida.

Después de sentar estas bases, presentaremos una nueva estrategia para reevangelizar a Latinoamérica: predicar expositivamente el evangelio. Como escribe John Frame: "Cualquier cosa que Dios hace, la hace por Su Palabra; lo que Dios hace, la Palabra lo hace".[5] Este énfasis es importante porque, en gran parte, la predicación de la Palabra en nuestra región es proclamada de forma selectiva, conveniente, temática, subjetiva y pragmática. Está basada más en la opinión del predicador que en la exégesis del pasaje. Una nueva generación de predicadores y maestros debe levantarse y asumir este reto y, por la gracia de Dios, cambiar el curso del continente latinoamericano durante todo el tiempo que Dios nos permita disfrutar de Su gracia abundante.

La tercera y última meta es presentar a nuestra iglesia en Santo Domingo, República Dominicana, como un modelo potencial para las iglesias de este siglo, especialmente para el contexto hispano. Esta meta se desarrolla en el último capítulo de este libro. Iglesias saludables que impacten a la comunidad circundante son escasas hoy. Pero la realidad no debe desanimarnos de predicar la Palabra, sea ella escuchada o no (Ez 2:7).

Las últimas palabras pronunciadas por Cristo fueron: "Toda autoridad me ha sido dada en el cielo y en la tierra. Id, pues, y haced discípulos de todas las naciones, bautizándolos en el nombre del Padre y del Hijo y del Espíritu Santo, enseñándoles a guardar todo lo que os he mandado; y he aquí, Yo estoy con vosotros todos los días, hasta el fin del mundo" (Mt 28:18-20). Si toda autoridad le ha sido dada a Cristo, no debemos temer nada; y no necesitamos otra cosa sino el evangelio, que es poder de Dios para la salvación.

---

[5] John Frame, *The Doctrine of the Word of God* [*La doctrina de la Palabra de Dios*] (Phillipsburg, NJ: P&R Publishing Company, 2010), 55.

Contexto del ministerio

En la actualidad soy el pastor titular de la Iglesia Bautista Internacional (IBI) en Santo Domingo, República Dominicana. Inicié la iglesia en enero de 1998, después de haber vivido en Estados Unidos por quince años, en donde ejercí y enseñé medicina clínica en Englewood Hospital and Medical Center (Englewood, N. J.), afiliado a la escuela de medicina Mount Sinaí de Nueva York. En mayo de 1997, mi esposa y yo regresamos a República Dominicana, mi país de origen, con el propósito de iniciar una iglesia. Desde el comienzo, trazamos la visión para dicha congregación, reconociendo que Dios es el que provee dirección. No obstante, una visión clara es necesaria para mantenernos avanzando en la dirección que Dios nos señale.[6] Como enseña la Biblia: "Donde no hay visión, el pueblo se desenfrena" (Pr 29:18).[7] Dios ha mostrado Su placer con nuestra visión al bendecirla permitiéndonos llevarla a cabo. Nuestra visión es la siguiente: "Ser una iglesia sin muros, fundamentada en la suficiencia de las Escrituras y formada por discípulos de íntima comunión con Dios y entre ellos mismos, que caminen en integridad de corazón y con un testimonio público que impacte su esfera de influencia, hasta que la gloria de Dios cubra nuestra tierra".[8] Me referiré a la visión para nuestra iglesia en el último capítulo de este libro.

Con ese fin, hemos enseñado y predicado de forma expositiva desde el inicio, buscando dar honor a la revelación divina. Su gracia ha bendecido esta intención. Comenzamos con un estudio bíblico en nuestro hogar, compuesto de diez a quince personas, y ese trabajo fue creciendo. Ahora tenemos una asistencia de unas dos mil quinientas

---

[6] Para más información sobre la importancia de la visión, lee a Aubrey Malphurs, *Developing a Vision for Ministry* [*Desarrollando una visión para el ministerio*] (Grand Rapids: Baker Book House, 1992).
[7] George Barna, *The Power of Vision* [*El poder de la visión*] (Ventura, CA: Regal Books, 1992), 95-118.
[8] Iglesia Bautista Internacional, *Declaración de fe*, 1998.

personas cada domingo. Al inicio solo necesitábamos un pastor de medio tiempo, pero ahora tenemos siete pastores de tiempo completo, un anciano de medio tiempo, más de setenta diáconos y diaconisas y un número significativo de otros líderes que trabajan bajo la dirección del cuerpo pastoral y del cuerpo de diáconos. Las diaconisas son parte del equipo de hospitalidad; enseñan y discipulan a otras mujeres, lideran el ministerio de mujeres de la iglesia y son una parte importante del ministerio de niños.

Por la gracia de Dios, hemos sido capaces de ministrar a un gran número de profesionales. A través de la predicación del evangelio, muchos nuevos creyentes han desarrollado sensibilidad hacia aquellos en necesidad, lo que ha provisto un maravilloso modelo de lo que significa ser la iglesia de Jesucristo. Ahondaré más en este tema en el último capítulo, cuando presente a nuestra iglesia como un modelo (no el único modelo) para llevar a cabo la Gran Comisión en América Latina en el siglo actual.

La cosmovisión del contexto de nuestro ministerio

La cosmovisión latinoamericana ha sido mayormente animista, sincretista (creencias católicorromanas mezcladas con santería)[9] y modernista. El posmodernismo tiene una mínima influencia en América Latina y es visto solo en aquellos que se encuentran en el extremo del secularismo. América Latina podrá tener una clase élite de personas cosmopolitas y posmodernas, pero en su mayoría las ideas del Dios bíblico (tan distorsionadas como puedan estar por la influencia del catolicismo) aún son parte de la cultura. El animismo ha influenciado no solo a la tradicional Iglesia de Roma, sino también a muchas de las creencias antibíblicas manifestadas en iglesias "evangélicas" que abusan de la práctica de los dones sobrenaturales del Espíritu. "Modernismo"

---

[9] Hayward Armstrong, Mark McClellan y David Sills, *Introducción a la misiología* (Louisville: Reaching and Teaching International Ministry, 2011), 229-244.

es la mejor forma de etiquetar la cosmovisión del continente, mezclada con catolicismo romano, deísmo y animismo. La iglesia debe entender la cosmovisión de la población latinoamericana porque es vital para poder transmitir una comunicación efectiva.[10]

Todo lo anterior nos puede explicar por qué la vida de los "cristianos" de nuestra región no ha sido transformada y no ha servido como instrumento en favor de la transformación de su cultura. El cristianismo bíblico está representado en las naciones latinas, pero el porcentaje es pequeño. El protestantismo comprende menos del 15 al 20 por ciento en la mayor parte de las regiones. De estos, aproximadamente de dos terceras partes a tres cuartas partes son pentecostales.

Base lógica

América Latina necesita ser reevangelizada a través de la predicación expositiva. Este tipo de predicación no es común en nuestra región. La predicación expositiva es la joya perdida de la iglesia latinoamericana. El típico pastor latinoamericano no predica expositivamente debido a falta de entrenamiento. De hecho, muchos ni siquiera han tendido una educación autodidacta como la tuvieron Martyn Lloyd-Jones y Juan Calvino. Gran parte de la predicación es hecha de forma temática, alegórica o emocional, como dijimos antes. En la mayor parte de estos casos, el propósito de los pastores ha sido sacudir las emociones de la audiencia. Con esta clase de predicación, el evangelismo y la santificación se vuelven difíciles, y la formación de una cosmovisión cristiana nunca ocurre. Debido a las implicaciones que la falta de entrenamiento conlleva, su necesidad en América Latina es evidente. En este punto necesitaremos creatividad para proveer educación a un grupo de pastores que ya dirigen una iglesia y no tienen la posibilidad de asistir a un seminario sin afectarla seriamente. Programas más cortos

---

[10] Scott Moreau, Gary Corwin y Gary McGee, *Introducing World Missions* [*Misiones mundiales: introducción*] (Grand Rapids: Baker Academics, 2004), 268-269.

y entrenamiento en línea deberán ser creados, como lo hemos hecho en nuestra propia institución. Las iglesias, posteriormente, necesitarán hacer acuerdos con otras instituciones para lograr un entrenamiento más avanzado.

Muchos cristianos han permitido que su fe sea confinada a la privacidad de su mundo con consecuencias monumentales. Otros han intentado influenciar sus culturas a través de la política, pero han fracasado. Son pocos los que han confiado en la Palabra de Dios para transformar los corazones y las mentes de su sociedad. Como dijo G. K. Chesterton: "El cristianismo nunca ha sido probado y encontrado carente; ha sido encontrado difícil y no probado".[11] Ese es el meollo del problema: las personas no han confiado en la Palabra para efectuar cambios porque han carecido de fe en la revelación de Dios para resolver los problemas morales de la humanidad. También han utilizado toda clase de medios y métodos con una pincelada de cristianismo. Cuando se percatan de que esos intentos fracasan, erróneamente concluyen que el cristianismo ha fallado.

Cuando la teología liberal apareció a finales del siglo 19, los evangélicos ortodoxos, llamados fundamentalistas, se retiraron de la sociedad y se volvieron sospechosos de toda búsqueda intelectual. En consecuencia, las sociedades en donde vivían fueron dejadas a merced de las corrientes seculares. En referencia a este fenómeno, Carl Henry dijo: "Por primera vez en su larga historia, el cristianismo evangélico permanece divorciado de los grandes movimientos de reforma social".[12]

Como la iglesia latina es relativamente joven y dado que la "Reforma Latina" nunca se estableció, creo que aún tenemos tiempo para enseñar a los creyentes lo que significa ser sal y luz en medio de una

---

[11] G. K. Chesterton, *What's Wrong with the World* [*¿Qué está mal en el mundo?*] (Mineola, NY: Dover Publications, 2007), 29.

[12] Carl Henry, *The Uneasy Conscience of Modern Fundamentalism* [*La consciencia intranquila del fundamentalismo moderno*] (Grand Rapids: W. B. Eerdmans Publishing Company, 1947), 27.

generación perversa. Necesitamos enseñar a las iglesias a abrazar todo el evangelio para que el mensaje no esté en juego y a la vez necesitamos enseñarles a ser de influencia transformadora en la comunidad que les rodea.

No defendemos el moralismo como una solución para las naciones, ni siquiera de manera parcial. El moralismo se opone al evangelio. Pero cada creyente que ama la ley de Dios, como lo hizo el salmista (Sal 119:97), debería tener un interés en levantar a la siguiente generación en una sociedad con un mejor sentido moral que el actual. Una sociedad en la que el aborto sigue siendo visto como un crimen, en donde el divorcio no es la norma, en donde el matrimonio homosexual no es permitido, y en donde el carácter íntegro aún cuenta, debe proveer una condición más estable para criar a nuestras familias. Algunos podrán protestar: "Nuestra seguridad y estabilidad no dependen de esas circunstancias, sino del Señor", lo cual es una buena observación. Pero necesitamos entender que cuando nuestro mundo experimenta tal grado de deterioro, la corrupción moral que prevalece se refleja en un alejamiento de Dios y aun en un abandono parcial por parte de Dios respecto a Su pueblo. Esto fue ejemplificado en la visión que Dios le dio al profeta Ezequiel (Ez 8–11). El moralismo no es la meta, sino una sociedad moral influenciada por la Palabra de Dios. Como una vez dijo Francis Schaeffer en una entrevista: "Creo que lo mejor es una nación que opera con un consenso moral cristiano".[13]

Definiciones

Algunas definiciones son necesarias para un mejor entendimiento del tema de este libro:

---

[13] Para un análisis más detallado lee Francis Schaeffer, "The Christian Manifesto" ["El manifiesto cristiano"] en *A Christian View of The West* [*Una perspectiva cristiana de occidente*], vol. 5 de *The Complete Works of Francis Schaeffer* [*La obra completa de Francis Schaeffer*] (Wheaton, IL: Crossway Books, 1982), 415-541.

América Latina: países hispanohablantes en América del Norte (básicamente México), América Central, América del Sur y el Caribe. No incluye a los latinos en otras partes del mundo.

Reevangelización: La predicación del evangelio en donde otros falsos evangelios han sido predicados, incluyendo los mensajes de salvación por obras de la Iglesia Católica Romana, el evangelio de la prosperidad o cualquier otra forma diluida del verdadero evangelio.

Iglesias sanas: Iglesias que predican sana doctrina de forma expositiva, que son cristocéntricas, guiadas por el evangelio, que tienen liderazgo bíblico y membresía organizada y que practican la disciplina eclesiástica.

Visión: Una imagen clara y racional del futuro para la iglesia, revelada por Dios por medio del estudio de las Escrituras, a través de la oración, meditación en Su Palabra y reflexión con otros hijos de Dios.

La Iglesia de Roma: La Iglesia Católica liderada por el Papa.

Cosmovisión: Un conjunto de valores que cada persona posee y por medio de los cuales ella evalúa y reacciona ante la vida.

1

¿POR QUÉ LATINOAMÉRICA
necesita ser reevangelizada?

P or más de 150 años los esfuerzos misioneros han influenciado a los latinoamericanos. De hecho, de acuerdo a Daniel Salinas, director del International Fellowship of Evangelical Students [Asociación Internacional de Estudiantes Evangélicos] en Paraguay, "la iglesia evangélica de Colombia, como ilustración, celebró ciento cincuenta años de historia en 2006".[1] A pesar de la presencia misionera y del movimiento de plantación de iglesias presenciado en 1970,[2] el efecto "sal y luz" de los creyentes, desde ese año hasta hoy, ha sido mínimo en nuestra región.[3] En este capítulo nos centraremos en comprender los antecedentes históricos que han provocado que la iglesia latinoamericana se encuentre en medio de una sociedad no transformada.

La fuerza del Movimiento protestante europeo años después de la Reforma no es el mismo que se ha observado en el gran Movimiento pentecostal latinoamericano. Más de un autor ha hecho la misma observación. Virginia Garrard-Burnett y David Stoll han estudiado

---

[1] Daniel Salinas, "The Great Commission in Latin America" ["La Gran Comisión en América Latina"] en *The Great Commission [La Gran Comisión]*, ed. Martin Klauber y Scott Manetsch (Nashville: B&H Publishing Group, 2008), 135.

[2] David Garrison, *Movimientos de plantación de iglesias* (El Paso, TX: Editorial Mundo Hispano, 2004), 118-131.

[3] David Stoll, *Is Latin America Turning Protestant? [¿América Latina se está convirtiendo en protestante?]* (Berkeley, CA: California University Press, 1990), 124.

el Movimiento protestante en nuestro continente desde hace algunos años. En uno de sus libros ambos comentan: "Mientras que el protestantismo histórico era una religión de literatura y educación tanto civil como racional —haciéndolo un vehículo de valores democráticos liberales— el pentecostalismo representa una religión con tradición oral, analfabetismo y efervescencia, reforzando así un modelo caudillista de control religioso y social".[4] Esta declaración es importante porque la mayoría de los latinoamericanos se identifican como pentecostales. Al final del siglo que acaba de transcurrir, el panorama comenzó a cambiar; sin embargo, en su gran mayoría se mantiene como se describió anteriormente.

La proliferación del "evangelio de la prosperidad" solo ha hecho crecer la hambruna de la Palabra de Dios. Esta clase de enseñanzas aleja a las personas del evangelio, dejándolos en la ignorancia bíblica. Muchas personas consideran a América Latina como un lugar donde ha penetrado el evangelio. Mucho tiene que ver con la percepción de su historia, pero, en su mayor parte, esta percepción es falsa. Por alrededor de 500 años, con la presencia de la Iglesia Católica, Latinoamérica ha escuchado de Cristo, de Su encarnación, de Su vida sin pecado, de Su muerte en la cruz, de Su resurrección y de Su primera y segunda venida. Así mismo ha escuchado acerca de lo que es el pecado, de la necesidad de arrepentimiento, de la verdad acerca del cielo y del infierno, del juicio final y de que la Biblia es de inspiración divina. Aun así, la mayoría de Latinoamérica no ha escuchado del evangelio, al menos no el evangelio del cual habla Pablo en Gálatas 1:8: "Mas si a nosotros, o a un ángel del cielo, os anunciare otro evangelio diferente del que os hemos anunciado, sea anatema".

---

[4] Virginia Garrard-Burnett y David Stoll, *Rethinking Protestantism in Latin America* [*Reconsiderando el protestantismo en América Latina*] (Philadelphia: Temple University Press, 1993), 11

Cada año Latinoamérica se convierte en una región más evangélica. Algunos países reportan de un 30 a un 40 por ciento de la población como evangélica, con un crecimiento de un 5 a un 10 por ciento en la última década.[5] A pesar de eso, Latinoamérica es cada vez más corrupta, más violenta y más sensual, como lo veremos más adelante. El impacto de aquellos que alegan ser "creyentes" es muy pequeño.

Donald Carson, en sus comentarios acerca del Sermón del Monte, dice: "La reforma de la prisión, el establecimiento del seguro social, la abolición de la esclavitud, la abolición del abuso laboral de los niños, la construcción de orfanatos y la reforma del código penal fueron cambios encabezados por los seguidores de Jesús. La maldad disminuyó. Y este, considero yo, ha sido el patrón de los cristianos profesantes cuando han estado menos preocupados por su prestigio personal que por seguir el estándar del reino".[6] Algunas ilustraciones de la historia reciente en la región permitirán comprender el problema.

En 1982 Guatemala tuvo el primer dictador "evangélico", el General Efraín Ríos Montt. Ríos Montt llegó al poder gracias a un golpe de Estado el 23 de marzo de 1982. De acuerdo con los reportes, su ejército asesinó a miles de personas. Durante ese tiempo, Ríos "predicaba a su comunidad cada domingo sobre la importancia de la moralidad".[7] El impacto negativo que esos eventos provocaron en la iglesia y en la sociedad misma fue terrible. Esto no es lo único que ha manchado el testimonio de la iglesia evangélica. Stoll argumenta: "De 1990 a 1991, veintidós congresistas evangélicos asumieron el poder junto a Jorge Serrano Elías, el primer presidente evangélico electo; diecisiete congresistas evangélicos hicieron lo mismo junto con el presidente

---

[5] David Barret, *World Christian Encyclopedia: A Comparative Survey of Churches and Religions in the Modern World* [*Enciclopedia universal cristiana: comparación de iglesias y religiones en el mundo actual*] (Oxford: Oxford University Press, 2001), 186.

[6] Donald Carson, *Jesus' Sermon on the Mount* [*El Sermón del Monte*] (Grand Rapids: Baker Books, 1987), 33.

[7] Stoll, *Is Latin America Turning Protestant?*, 20.

Alberto Fujimori, un católico cuyo voto fue impulsado grandemente por las iglesias evangélicas; y treinta y tres evangélicos fueron elegidos para el congreso de Brasil".[8] El 1 de junio de 1993, Serrano Elías tuvo que dimitir y huir del país después de haber suspendido ilegalmente la constitución y haber disuelto el congreso y la suprema corte el 25 de mayo de 1993. El presidente brasileño fue encarcelado por corrupción en 1992.

La larga historia de la Iglesia Católica Romana en América Latina no es atractiva y la historia reciente de la iglesia evangélica tampoco lo es. Cuando vemos los registros producidos en los últimos 500 años, es importante notar cómo la Reforma nunca llegó a América Latina; parece como si la Reforma nunca hubiera existido. No obstante, el movimiento de la Ilustración sí influyó en esta región. "Hobbes y Locke, Montesquieu y Rosseau, Paine y Raynal, todos los textos de la libertad tienen lectores en América Latina",[9] argumenta John Lynch, profesor emérito de historia latinoamericana y antiguo director del instituto de estudios latinoamericanos en la Universidad de Londres. Lynch también escribe: "Muchos de las personas influyentes encontrarían en el utilitarismo y el liberalismo, dos resultados de la Ilustración, la posición filosófica abandonada por la iglesia".[10]

Así que una pregunta que podemos hacer desde el inicio es *¿por qué la Reforma no llegó a América Latina?* Esa es una buena pregunta, especialmente cuando nos percatamos de que hace siglos, en 1556, Calvino envió a un grupo de catorce personas, pastores y estudiantes de teología, desde Ginebra hasta Brasil. Desafortunadamente, esta expedición no produjo mucho fruto. Poco después de llegar, "uno de los pastores escribió que había escuchado a algunos de sus compatriotas jactarse de su libertinaje junto a algunos de la población nativa y que

---

[8] Garrard-Burnett y Stoll, *Rethinking Protestantism in Latin America*, 13.
[9] John Lynch, *New Worlds: A Religious History of Latin America* [*Nuevos mundos: historia religiosa de América Latina*], (New Haven, CT: Yale University Press, 2012), 65.
[10] Lynch, *New Worlds: A Religious History of Latin America*, 105.

aparte de eso se había unido a la práctica del canibalismo".[11] Poco después, el protestantismo llegó a ser prohibido en una colonia francesa de aquel tiempo. España y Portugal controlaban la mayor parte de América Latina y estos dos países se aseguraron de que el protestantismo no llegara a las tierras recién descubiertas. De igual manera, la inquisición de la Iglesia Católica, iniciada en 1569, jugó un papel importante. Terminó en 1820. Casi por 250 años esta cruel "santa" institución sembró terror en el Nuevo Continente al establecer tres oficinas, una en México (entones llamada la Nueva España), otra en Colombia (conocida en aquel entonces como Cartagena) y la última en Lima, Perú.[12]

Para empeorar las cosas, hasta los comienzos del siglo 19 había pocos inmigrantes de trasfondo protestante residentes en América Latina. Algunos habían arribado a Venezuela en 1529; algunos hugonotes (miembros de la Iglesia Cristiana Reformada de Francia) llegaron a Haití en 1660. Lo mismo sucedió con inmigrantes británicos que llegaron a Jamaica y holandeses que llegaron a Curazao, Aruba, Bonaire y Surinam.[13] Sin embargo, esta presencia protestante fue enterrada y ninguno de esos inmigrantes llegó a ser misionero: "En pocas palabras, durante todo el periodo colonial (1492-1810) la presencia protestante en América Latina fue esporádica y poco duradera. Estaba generalmente conectada con intentos colonizadores de potencias protestantes y con expediciones y asentamientos de piratas".[14] La fe protestante llegó a América Latina en cuatro diferentes *olas*, que van desde principios del siglo 19 hasta el año 1960.[15]

---

[11] Ondina González y Justo González, *Christianity in Latin America* [*Cristianismo en América Latina*], (Cambridge: Cambridge University Press, 2008), 186.

[12] John Chuchiak IV, *The Inquisition in New Spain* [*La inquisición en la Nueva España*], (Baltimore: Johns Hopkins University Press, 2012), 14.

[13] González y González; *Christianity in Latin America*, 188.

[14] González y González; *Christianity in Latin America*, 188.

[15] Garrard-Burnett y Stoll, *Rethinking Protestantism in Latin America*, 3.

Esfuerzos precursores

Muchos consideran que Diego (James) Thompson (1788-1854) fue el precursor de las misiones protestantes en nuestro continente. Diego llegó a Latinoamérica movido por un deseo de promover el método educativo usado por la British and Foreign School Society [Sociedad Inglesa y de Escuelas Extranjeras] (BFBS, por sus siglas en inglés) conocido como el *método lancasteriano,* el cual usaba la Biblia para educar a las personas. Diego llegó a nuestra región por primera vez en 1818 a la ciudad de Buenos Aires. Los esfuerzos de este educador fueron apoyados por la BFBS con el envío de Biblias que Diego Thompson logró distribuir en diferentes naciones en la medida en que era invitado por diferentes gobiernos para establecer sistemas de educación: Chile (1821), Perú (1822, invitado por el general José de San Martín) y La Gran Colombia (1824), instalándose en Guayaquil. En 1825 fundó la Sociedad Bíblica Colombiana.[16]

La primera ola

El primer grupo de protestantes inmigrantes llegó antes del siglo 19, como hemos mencionado anteriormente. Después, a principios del siglo 19, llegaban inmigrantes protestantes, hombres de negocios en busca de nuevos horizontes (los europeos), o bien, inmigrantes que huían de los problemas raciales (los de Estados Unidos). El primer grupo conformado por inmigrantes alemanes llegó a Brasil en 1824 y a Argentina en la década de 1840.[17] Estos protestantes europeos (no misioneros) llegaron y formaron algunas iglesias para ellos mismos, celebrando los servicios en sus propios idiomas sin estar interesados en alcanzar a la comunidad que les rodeaba.[18]Básicamente, adoptaron un evangelio privado que por definición no representa el mandato de

---

[16] Para conocer más detalles al respecto lee González y González, *Christianity in Latin America,* 209-216.

[17] González y González; *Christianity in Latin America,* 195-199.

[18] González y González; *Christianity in Latin America,* 204.

la Gran Comisión. Durante el mismo período, algunos inmigrantes misioneros de las denominaciones tradicionales llegaron desde Norteamérica; ellos construyeron hospitales y escuelas, pero pronto perdieron su interés en evangelizar.[19] En esencia, proclamaron un evangelio "educativo y social" con cierta forma de piedad, pero carente de poder para convertir el corazón.

La segunda ola

El segundo grupo llegó en la segunda mitad del siglo 19. Estos misioneros fueron compelidos a realizar misiones debido a los avivamientos que surgieron en Europa y especialmente en Estados Unidos. De acuerdo con Pablo Deiros, historiador de la iglesia latinoamericana, no fue sino hasta la segunda mitad del siglo 19 que los misioneros norteamericanos jugaron un rol importante en América Latina.[20]

Para este tiempo ya había un buen número de protestantes en la mayoría de los países latinoamericanos.[21] Desafortunadamente, en vista del esfuerzo misionero a nivel mundial, algunas iglesias cuestionaban si era sabio gastar recursos en América Latina pues, según ellas, ya había sido cristianizada. Este ha sido uno de los problemas. Muchos concluyen que el Continente ya ha sido evangelizado porque una versión del cristianismo llegó con Cristóbal Colón en 1492. En el siglo 19 la iglesia anglicana se oponía al trabajo misionero en América Latina, y esta oposición continuó hasta principios del siglo 20 cuando se llevó a cabo la primera conferencia misionera mundial en Edimburgo, Escocia, donde fue necesario excluir a América Latina de la agenda para que los anglicanos y otros grupos participaran.[22] "Contrario a la conclusión de la conferencia misionera en Edimburgo en 1910, los

---

[19] Stoll, *Is Latin America Turning Protestant?*, 101.
[20] Pablo Alberto Deiros, *Historia del Cristianismo en América Latina* (Buenos Aires: Fraternidad Teológica Latinoamericana, 1992), 654.
[21] González y González; *Christianity in Latin America*, 191.
[22] González y González; *Christianity in Latin America*, 236.

misioneros norteamericanos veían a la América Latina católica como [una región] superficialmente cristianizada y, por tanto, un campo misionero válido".[23]

La tercera ola

La tercera oleada llegó a finales del siglo 19 y a principios del 20 con los movimientos fundamentalistas que se oponían al modernismo. Los fundamentalistas se retiraron de la cultura en general y, por tanto, su impacto fue mínimo. Muchos de los que llegaron eran fundamentalistas aparentemente demasiado estrictos para los latinos y, en consecuencia, las iglesias no crecieron. Esta tercera oleada llegó como consecuencia de los pobres resultados de los misioneros de las denominaciones tradicionales. Un nuevo movimiento fue *la punta de lanza* de lo que posteriormente se denominó como "misiones de fe". Estos grupos, no ligados a una denominación particular, estaban compuestos de creyentes de varias iglesias conservadoras. Entre tales grupos se contaban la Central American Mission [Misión Central Americana], la Christian and Missionary Alliance [Alianza Cristiana y Misionera] (C&MA de aquí en adelante), la Gospel Missionary Union [Unión Misionera Evangélica] (hoy llamada Avant Ministries [Ministerios Avant]) y la Latin America Mission [Misión Latinoamérica] (LAM). Estos grupos tomaron el trabajo misionero que las denominaciones tradicionales ya habían comenzado. En su mayor parte, no permitían la expresión emocional típica de los latinos y característica del movimiento pentecostal en la actualidad.[24] "Algunas de las primeras construcciones de la Alianza fueron esfuerzos pioneros en Argentina, Chile y Ecuador durante la década de 1890,

---

[23] Klaus Koschorke, Ludwig Frieder y Mariano Delgado, *A History of Christianity in Asia, Africa and Latin America 1450-1990* [*Una historia del cristianismo en Asia, África y América Latina, 1450-1990*], (Grand Rapids: Eerdmans Publishing Company, 2007), 373.

[24] Stoll, *Is Latin America Turning Protestant?*, 101, 154.

y varios trabajadores de la C&MA construyeron las primeras capillas protestantes en Venezuela".[25]

La cuarta ola

El cuarto grupo llegó en la década de 1960 con el movimiento pentecostal, el cual se ha convertido en muchos lugares en el movimiento neopentecostal caracterizado por su marcado énfasis en el evangelio de la prosperidad, la doctrina de "proclámalo y reclámalo" y algunas prácticas importadas del animismo que hoy forman parte de otro movimiento de guerra espiritual de nuestros días. Los pentecostales llegaron a América Latina probablemente en la década de 1930, pero la verdadera explosión no ocurrió sino hasta la década de 1960.[26]Aquellos que comprenden el *estatus* del cristianismo en los países latinoamericanos saben que la teología reformada es poco común entre los latinos. En algunos lugares está totalmente ausente; en otros es poco común; pero en ningún lugar predomina la teología reformada.

Una misionera presbiteriana llamada Melinda Rankin visitó México a mitad del siglo 19 y dijo: "Un cristianismo puro nunca ha penetrado esta oscura región".[27] Lo mismo podría decirse de muchas partes de América Latina, incluso en el presente. Aun así, para 1891, solamente en México los misioneros habían establecido 123 escuelas primarias, 20 instituciones educativas superiores, 5 hospitales y 7 casas editoriales. Para la misma época en Centroamérica y Sudamérica, los misioneros habían establecido 175 escuelas primarias, 27 instituciones

---

[25] "Christian Missionary Alliance" ["Alianza cristiana misionera"], recuperado en mayo 7 de 2014 de http://www.cmalliance.org/region/latin.

[26] David Martin, *Tongues of Fire: The Explosion of Protestantism in Latin America* [*Lenguas de fuego: La explosión del protestantismo en América Latina*] (Oxford: Wiley-Blackwell, 1993), 189.

[27] Lee Penyak y Walter Petry, *Religion and Society in Latin America: Interpretive Essays from Conquest to Present* [*Religión y sociedad en América Latina: ensayos interpretativos desde la conquista al presente*], (Maryknoll, NY: Orbis Books, 2009), 178.

educativas superiores, 4 hospitales y 9 casas editoriales.[28] Para el siglo 20 solo en México ya existían quince denominaciones protestantes diferentes, pero menos del uno por ciento de la población era protestante.

Un historiador reconocido por la iglesia latinoamericana, Justo González, reportó que a pesar de todos los esfuerzos por crear escuelas, clínicas y casas editoriales, las agencias misioneras fallaron en su meta primaria: evangelizar al pueblo latinoamericano. Para 1950 ninguna nación latinoamericana tenía más del 5 por ciento de población protestante y en muchos lugares ni siquiera llegaba al dos por ciento, según Virginia Garrard-Burnett en su contribución al libro *Religión y Sociedad en América Latina*.[29] Cuba podría haber sido la excepción. Para 1950 Cuba era considerada como un país bien evangelizado, con más de 25 denominaciones presentes a inicios del siglo 20. En 1940 Cuba comenzó a desarrollar una iglesia propia. Para el tiempo en que Castro llegó al poder en 1959 Cuba tenía una de las poblaciones protestantes más grandes en América Latina y una de las iglesias protestantes más autóctona.[30]

Ciento cincuenta años de esfuerzo misionero dieron como resultado miles de escuelas protestantes, múltiples iglesias en muchos países, grandes campañas evangelísticas en los últimos cincuenta años, 6455 misioneros registrados en América Latina, 134 agencias misioneras, 177 iniciativas de iglesias y 30 centros de capacitación para misioneros.[31] A pesar de todo esto, aproximadamente el 90 por ciento de la población latinoamericana sigue siendo católica, dependiendo del área

---

[28] Harlan Bleach, "Statistical Tables" ["Tablas estadísticas"], en Henry Dwight, Allen Tupper y Edwin Bliss (eds.), *The Encyclopedia of Missions: Descriptive, Historical, Biographical, Statistical* [*La enciclopedia de las misiones: descriptiva, histórica, biográfica y estadística*], (New York: Funk and Wagnalls Company, 1904).

[29] Penyak y Petry, *Religion and Society in Latin America*, 193.

[30] Penyak y Petry, *Religion and Society in Latin America*, 194.

[31] Francisco Ordóñez, *Historia del Cristianismo Evangélico en Colombia* (Armenia, Colombia: Alianza Cristiana y Misionera, 1956), 28; y COMIBAM, *Catálogo de Organizaciones Misioneras de Iberoamérica*, ed. Ted Limpic (Guatemala City: COMIBAM Internacional, 2002), 221.

que estudiemos. Brasil es el país menos católico. En el censo realizado en 2010, el 65 por ciento de las personas se identificaba como católica, practicaran o no el catolicismo. Sin embargo, ya que Brasil tiene casi 200 millones de personas, es uno de los países con más católicos en el mundo. Cerca del 83 por ciento de la población mexicana se identifica como católica mientras un 10 por ciento se llaman ateos de acuerdo con las últimas estadísticas. El otro 7 por ciento se distribuye entre protestantes y otros. Estos números, por sí mismos, hablan del porqué América Latina necesita ser reevangelizada. Pero eso no es todo.

Si añadimos a lo anterior el hecho de que la predicación expositiva está prácticamente ausente de los púlpitos latinoamericanos, nos percatamos de que verdaderamente nuestra región tiene una gran necesidad de escuchar el evangelio de Jesucristo. Los cristianos latinoamericanos necesitan escuchar todo el consejo de Dios por medio de la predicación expositiva. En nuestra región la predicación es, por lo general, emocional, está llena de anécdotas basadas en visiones y sueños, y es incluso alegórica. Una falta de entrenamiento es la principal razón para esta práctica.

Podríamos argumentar que hasta la segunda mitad del siglo 20 la mayoría de las naciones latinoamericanas no habían visto una versión bíblica del evangelio. Por tanto, la Gran Comisión no se ha cumplido. Como dijo Jesús en Mateo 28:18-20: "Toda autoridad me ha sido dada en el cielo y en la tierra. Id, pues, y haced discípulos de todas las naciones, bautizándolos en el nombre del Padre y del Hijo y del Espíritu Santo, enseñándoles a guardar todo lo que os he mandado; y he aquí, Yo estoy con vosotros todos los días, hasta el fin del mundo". Este mandato nunca ha sido cumplido por esfuerzos católicos en América Latina.

Con la llegada de Cristóbal Colón una versión del cristianismo arribó a América Latina, pero no era el verdadero evangelio pues negaba la suficiencia del sacrificio de Cristo en la cruz y violaba otra parte de la Gran Comisión, la verdad contenida en la siguiente frase: "Toda potestad me es dada en el cielo y en la tierra". El cristianismo traído por los españoles reconocía al Papa como la autoridad suprema en la tierra y el vicario de Cristo; más aún, equiparaba a las Sagradas Escrituras con las enseñanzas de la Iglesia de Roma. De manera que visto así la autoridad divina es compartida entre Cristo y el Papa. El punto 95 del catecismo de la iglesia católica establece que "Escritura, Tradición y Magisterio están tan estrechamente unidos entre sí que ninguno de ellos existe sin los demás. Juntos, bajo la acción del Espíritu Santo, contribuyen eficazmente, cada uno a su modo, a la salvación de los hombres".[32] Es claro en esta declaración que la Iglesia Católica Romana cree que la autoridad del Magisterio, presidido por el Papa, es comparable con la autoridad de Cristo. Y aun así, más de 500 años después, cerca del 80 por ciento de la población latinoamericana aún concibe esa versión del evangelio. ¡Es increíble! Podríamos concluir que el 80 por ciento de los países de habla hispana en América Latina continúan teniendo "otro evangelio" diferente al verdadero evangelio.

Los últimos cincuenta años

Cuatro movimientos de los últimos cincuenta años requieren nuestra atención: (1) la explosión del movimiento pentecostal; (2) el nacimiento de la teología de la liberación; (3) las campañas evangelistas que utilizaron las cuatro leyes espirituales; y (4) el alcance de la clase educada.

El movimiento pentecostal que llegó a América Latina a principios del siglo 20 continuó expandiéndose lentamente y organizándose hasta 1960. Desde ese punto en adelante, el movimiento explotó, extendiéndose así a todos los países de América Latina. Los pentecostales han sido capaces de plantar múltiples iglesias y han formado muchas

---

[32] Iglesia Católica, *Catecismo de la Iglesia Católica*, Libreria Editrice Vaticana (Liguory, MO: Liguory Publications, 1994), 29.

comunidades de pequeñas iglesias. En los últimos 25 años, muchas de esas iglesias han adoptado el neopentecostalismo caracterizado por la proclamación del evangelio de la prosperidad, el éxito personal y las sanidades milagrosas. Carmelo Álvarez ha provisto un resumen completo de este movimiento durante el último siglo.[33]

En la mayoría de los lugares, los pentecostales representan un 65 por ciento de la población protestante en cualquier país del continente. "De acuerdo con la 2006 World Christian Database (Base de Datos del Cristianismo en el Mundo del 2006), el 63 por ciento de los protestantes en América Latina son pentecostales".[34] En la actualidad, Centroamérica y Sudamérica (excluyendo el Caribe) tienen alrededor de 500 millones de personas. De ellos, se estima que entre 50 millones y 150 millones son protestantes (del 10 al 30 por ciento). Esos números son importantes cuando consideramos que hace poco más de un siglo solo había 50 mil protestantes en América Latina, un número que era compuesto principalmente por extranjeros: ingleses anglicanos, alemanes luteranos y unos pocos menonitas. La Iglesia Católica Romana no esperaba tal crecimiento de la iglesia evangélica, y de muchas maneras sus autoridades fueron tomadas por sorpresa:

El número de protestantes creció de 50 mil a 11,9 millones entre 1890 y 1978, y de 21 millones en 1980 a 46 millones en 1990, con un estimado de 60 millones para finales del siglo 20. En la década de 1980, al menos el 10 por ciento de la población en América Latina era protestante, para sorpresa de las autoridades católicas.[35]

---

[33] Carmelo Álvarez, *Panorama Histórico dos pentecostalismos latino-americanos e caribenhos* (Sao Paulo: Asociación de Iglesias Presbiterianas y Reformadas de América latina, 1996).
[34] Penyak y Petry, *Religion and Society in Latin America*, 198.
[35] Lynch, *New Worlds: A Religious History of Latin America*, 335-36.

Como hemos señalado anteriormente, de dos tercios a tres cuartos de aquellos que han sido convertidos se identifican como pentecostales. Algunos pensadores seculares y analistas han caracterizado al pentecostalismo como "el movimiento más importante que ha atravesado toda la región en el siglo 20 y a principios del siglo 21".[36]

Ahora bien, si estos números son tan impresionantes, ¿por qué deberíamos preocuparnos por reevangelizar a América Latina? Porque todavía hasta un 90 por ciento de la población latinoamericana sigue siendo católica (dependiendo de la localidad) y porque muchas de las profesiones de fe en nuestras naciones no han resultado en una conversión. Adicionalmente, América Latina es un continente convulsionado y, por tanto, necesitado de redención.

Análisis estadísticos provistos por la Organización Mundial de la Salud muestran que "las muertes a causa de la violencia son más comunes en América Latina que en cualquier otra región: es más del 200 por ciento más alta que en Norteamérica y que en el Pacífico Occidental, 450 por ciento más alta que en Europa Occidental y 30 por ciento más alta que en el Antiguo Bloque Comunista".[37] Quizá estos números puedan explicarse por el hecho de que la fe cristiana no había producido un impacto significativo en América Latina como lo produjo en Europa después de la Reforma o en Estados Unidos.

El nacimiento de la teología de la liberación

El nuevo "evangelio" de la teología de la liberación fue creado en 1970 por Gustavo Gutiérrez, un sacerdote peruano de los dominicos que veía la pobreza como un tema imperante en el Antiguo y el Nuevo Testamento. Basado en esta observación, concluyó que "la teología de la liberación se enfoca en los pobres, el elemento básico, desheredado

---

[36] Penyak y Petry, *Religion and Society in Latin America*, 190.
[37] Rafael Di Tella, Sebastian Edwards y Ernesto Schargrodsky (eds.), *The Economics of Crime: Lessons for and from Latin America* [*La economía del crimen: Lecciones de y para América Latina*], (Chicago: University of Chicago Press, 2010), 19-55.

y oprimido, cuya miseria se origina en la estructura de la sociedad y en la dependencia del mundo subdesarrollado de las naciones ricas".[38] Las condiciones de injusticia y las realidades del continente que ha sido "cristianizado", mas no transformado, han llevado a que muchos adopten la teología de la liberación. Gutiérrez afirma lo mismo al escribir:

> Solo al rechazar la pobreza y hacerse pobre a sí mismo para protestar en contra de ella, la iglesia podrá predicar algo exclusivamente suyo: "pobreza espiritual", es decir, la apertura de la humanidad y de la historia al futuro prometido por Dios. Solo de esta forma la iglesia podrá cumplir auténticamente —y tendrá posibilidad de ser escuchada— su función profética de denunciar toda injusticia humana.[39]

Para muchos de estos nuevos teólogos, la muerte de Cristo no pagó por nuestros pecados, sino que fue el resultado del choque entre Su vida y las personas poderosas de la época. Liberar a los pobres de la opresión traería el reino de Dios.[40] Por tanto, para ellos el concepto de pecado no se relaciona con la violación de la ley moral de Dios, sino con la violación de la dignidad humana debido a las injusticias existentes en el mundo. No resistirse ni luchar en contra de estas injusticias es pecado.[41]

Algunos en la teología de la liberación dirían que los problemas con los índices de criminalidad y otros problemas sociales de nuestra región se deben al hecho que América Latina es más pobre y menos

---

[38] Lynch, *New Worlds* [Nuevos mundos], 354.

[39] Gustavo Gutiérrez, *A Theology of Liberation: History, Politics and Salvation* [*Teología de liberación: Historia, política y salvación*], (London: Orbis Books, 1988), 257, 261, 268.

[40] Douglas Webster, "Liberation Theology" ["Teología de la liberación"], en Walter Elwell (ed.), *Evangelical Dictionary of Theology* [*Dicccionario teológico evangélico*], (Grand Rapids: Baker Books, 1984).

[41] Ondina González y Justo González, *Liberation Preaching* [*Predicación de liberación*], (Nashville: Abingdon, 1980), 23.

educada que Europa y Norteamérica. Pero el análisis estadístico no ha mostrado relación entre la pobreza y la criminalidad.[42]

Las campañas evangelísticas y las cuatro leyes espirituales

Al mismo tiempo que nació la teología de la liberación, en muchas naciones de América Latina se llevaban a cabo campañas evangelistas, especialmente entre las décadas de 1970 y 1980. Campus Crusade for Christ [Cruzada Estudiantil para Cristo], utilizando el folleto de las "Cuatro Leyes Espirituales", patrocinó muchas de ellas. Aparentemente Bill Bright, fundador de Campus Crusades [La Cruzada Estudiantil], tenía buenas intenciones cuando estableció estas leyes en un intento de alcanzar a las personas para Cristo, especialmente a estudiantes universitarios. Desafortunadamente, las cuatro leyes espirituales, traducidas en más de 150 idiomas, redujo el evangelismo de masas a una metodología pragmática. Es verdad que el evangelio es simple, pero *no* es simplista. Estas campañas tuvieron un gran impacto en América Latina y no siempre para bien. A pesar de que estas leyes contienen verdades bíblicas, no ofrecen una presentación completa del evangelio. Hoy muchos que hicieron profesiones de fe en estas campañas no muestran señales de verdadera conversión. Estas leyes establecen lo siguiente:

1. Dios te ama y tiene un plan maravilloso para tu vida.
2. Somos pecadores y estamos separados de Dios. Por tanto, no podemos conocer ni experimentar el amor de Dios ni el plan que Él tiene para nuestras vidas.
3. Jesucristo es la única provisión que Dios hizo por nuestro pecado. A través de Él podemos conocer y experimentar el amor de Dios y Su plan para nuestras vidas.

---

[42] Di Tella, Edwards y Schargrodsky (eds.), *The Economics of Crime*, 19-55.

4. Debemos recibir a Jesucristo personalmente como nuestro Salvador y Señor; entonces podremos conocer y experimentar el amor de Dios y Su plan para nuestras vidas.[43]

Como mencionamos, estas cuatro leyes espirituales son ciertas pero incompletas porque la idea del arrepentimiento está ausente. Y eso se hace más obvio en la conocida oración del pecador. Explicadas estas leyes, al pecador se le invita a que haga esta oración: "Señor Jesús, te necesito. Gracias por morir en la cruz por mis pecados. Abro la puerta de mi vida y te recibo como mi Salvador y Señor. Gracias por perdonar mis pecados y darme vida eterna. Toma el control del trono de mi vida. Hazme la clase de persona que Tú quieres que sea".[44]

Las cuatro leyes no son heréticas ni la oración del pecador va en contra de la Biblia, pero si ese es todo el entendimiento que la persona tiene del evangelio, esa reducción de la verdad pudiera costarle la vida eterna. La razón para llegar a esta conclusión es que en las cuatro leyes no existe una sola mención de la necesidad de arrepentimiento. Pero en la oración del pecador, la persona le da gracias a Dios por perdonar sus pecados sin haber expresado su arrepentimiento por haber violado la ley y la santidad de Dios, independientemente de cuáles sean las palabras usadas para tales fines. Lo más preocupante es que miles de personas han hecho la oración sin dar evidencia posterior de una vida transformada. Este método evangelización no representa adecuadamente el evangelio.

Dios quiere que los creyentes se apasionen por alcanzar a los perdidos, pero sin perder la pasión por la verdad del evangelio. Si nuestra pasión por los perdidos es mayor que nuestra pasión por la verdad de Dios, lo más probable es que comuniquemos equivocadamente el

---

[43] *Four Spiritual Laws* [*Las cuatro leyes espirituales*], Cru Ministry Resources, Campus Crusade for Christ International, recuperado en mayo 25 de 2014 de http://www.crustore.org/fourlawseng.htm.

[44] *Four Spiritual Laws*, http://www.crustore.org/fourlawseng.htm.

evangelio; tenderemos a diluir o a esconder el hecho de que seguir a Cristo tiene un precio. Cristo dijo: "Si no coméis la carne del Hijo del Hombre y bebéis Su sangre, no tenéis vida en vosotros" (Jn 6:53). Al escuchar lo anterior, muchos de Sus seguidores lo abandonaron (Jn 6:66). Inmediatamente después de que se apartaron, Jesús dijo a Sus discípulos: "¿Acaso queréis vosotros iros también?". A lo que Pedro le contestó: "Señor, ¿a quién iremos? Tú tienes palabras de vida eterna" (Jn 6:68-69).

En tiempos modernos, muchos han sido tímidos al compartir las buenas nuevas de Jesús y han tenido miedo de que las exigencias de la vida cristiana alejen a las personas, que es otra forma de avergonzarse del evangelio. Pero los cristianos no debemos avergonzarnos porque, como sabemos, el evangelio "es poder de Dios para la salvación de todo el que cree; del judío primeramente y también del griego" (Ro 1:16).

Alcanzando a la clase educada

De los tres eventos principales de los últimos cincuenta años, el último que mencionaremos se relaciona con el alcance de personas de cierto nivel de educación, usualmente personas con títulos universitarios. Al leer sobre misiones al principio de la década de 1990, me percaté de que en casi todos los países del tercer mundo la clase media y alta, en su mayoría, no había sido alcanzada, y lo mismo continúa hasta el día de hoy. Hasta que esta trágica situación cambie, la obra quedará incompleta. Alcanzar a la clase educada ha sido un problema en los países del tercer mundo desde hace muchos años. He tenido la oportunidad de interactuar con muchos misioneros a través de los años y al hablar con ellos me he percatado de que parte del problema ha sido la barrera del lenguaje. Este es un problema crónico en América Latina.

Un reporte de 1890 que apareció en *The Missionary Review of the World* [*Revisión misionera del mundo*] dice: "Nuestro segundo punto estratégico es alcanzar a la clase media, ya que está destinada a jugar un papel importante en la historia de Latinoamérica".[45] Sin embargo, esto no sucedió en aquella época. Solo comenzó a suceder a partir de la década de 1970. Aún gran parte de la clase educada en América Latina sigue sin ser alcanzada. "Con algunas variaciones, podríamos decir que el protestantismo en América Latina se caracteriza por tener un gran crecimiento predominantemente en la clase baja [...] El protestantismo (especialmente el pentecostalismo) está asociado desproporcionadamente con los pobres, los menos educados y la gente de color".[46]

Damos gloria a Dios por ese alcance. Pero no podemos pasar por alto la importancia de esta observación, ya que la clase educada es la única que puede proveer los recursos humanos y financieros para alcanzar a aquellos que se encuentran en necesidad. Alcanzar con el evangelio de abajo hacia arriba ha sido imposible a través de los años. En otras palabras, los menos educados no pueden alcanzar a aquellos que poseen mejor educación: existen barreras educativas y financieras muy reales. Esta realidad en sí misma es una razón más de por qué no hemos visto en América Latina los cambios que sí se presentaron en Europa durante los dos siglos posteriores a la Reforma. El mejor ejemplo de ello es la fuerza misionera que ha salido de Estados Unidos en el último siglo. La nación más rica del mundo ha provisto el mayor esfuerzo misionero para alcanzar al tercer mundo. En la actualidad, debemos alcanzar a las personas educadas de la región para continuar alcanzando a las personas más pobres de la misma. En otras palabras, los menos educados no pueden alcanzar a aquellos que poseen mejor educación; existen barreras educativas y financieras muy reales. Esta realidad en sí misma es una razón más de por qué no hemos visto los cambios en América Latina que sí se presentaron en Europa durante los 200 años posteriores a la Reforma.

---

[45] Penyak y Petry, *Religion and Society in Latin America*, 183.
[46] Paul Freston, *Evangelical Christianity and Democracy in Latin America* [*Cristianismo evangélico y democracia en América Latina*], (Oxford: Oxford University Press, 2008), 15.

Conclusión

En conclusión, América Latina necesita ser transformada, pero para que eso ocurra, la iglesia debe reevangelizarla. La mayor parte de la población de la región, incluso en la actualidad, solamente conoce la versión católica del evangelio y una parte importante de la iglesia evangélica ha sido influenciada por el evangelio de la prosperidad o por predicaciones bíblicamente diluidas. Este evangelio de la prosperidad es solamente una versión de la antigua mentira. No hay nada nuevo debajo del sol. Satanás solo ha cambiado la envoltura de sus mentiras para engañar de la misma forma con la que ha estado engañando desde el jardín del Edén. Si lo meditamos, el mensaje de la serpiente antigua en el jardín era una versión del evangelio de la prosperidad. Hoy Satanás ofrece prosperidad material a las criaturas caídas y destituidas: "Tú puedes tener riqueza". Pero en el Edén ofreció prosperidad espiritual a Adán: "Puedes ser como Dios". No le ofreció riquezas a Adán, ya que él tenía todo el planeta para él, pero sí le ofreció prosperidad espiritual. Hoy Satanás solo cambia la envoltura.

Toda herejía nace en algún lugar. La teología de la liberación, por ejemplo, nació en América Latina, en las mentes de aquellos que veían la pobreza de las masas y la opresión de los poderosos y, por tanto, entendieron que la salvación de Cristo consistía en liberar a los pobres de los ricos a través de revoluciones. Obviamente, fracasó porque no era el evangelio de Cristo.

El evangelio de la prosperidad nació en Estados Unidos,[47] pero ha influido monumentalmente en el tercer mundo, incluyendo a América Latina. Esta expansión es fácil de comprender dada la influencia que a través de los años ha tenido Norteamérica en los países del hemisferio sur. "En Nigeria el 96 por ciento de los que profesan creer en Dios afirman que Dios les dará riqueza material si tienen suficiente fe. Los

---

[47] David Jones y Russel Woodbridge, *Health, Wealth and Happiness* [*Salud, abundancia y felicidad*] (Grand Rapids: Kregel Publications, 2011), 25-49

creyentes en la India (82 por ciento) y en Guatemala (61 por ciento) dieron respuestas similares".[48] Kate Bowler en su libro *Blessed: A History of American Prosperity Gospel* [*Bendecido: Una historia del evangelio estadounidense de la prosperidad*], hace el siguiente comentario con respecto a la influencia del evangelio de la prosperidad en América Latina:

> Radiodifusoras religiosas consideraban que la programación en habla hispana era una de las industrias más rentables del mercado. La programación religiosa para la comunidad hispana comenzó entre las décadas de 1980 y 1990, cuando la CBN, TBN y la católica EWTN (Eternal Word Television Network) comenzaron a operar en América Latina. Cadenas como EWTN y la María Visión de México servían a 27 millones de hispanos católicos, mientras que los televangelistas de la prosperidad apuntaban a los latinos pentecostales [...] TBN produjo el 60 por ciento de su programación en español, mientras que ofrecía el resto de la programación doblada al mismo idioma.[49]

Truslow Adams en su libro *The Epic of America* [*La Epopeya de América*] estableció que el sueño americano es "aquel sueño con una tierra en donde la vida debe ser mejor, más próspera y plena para todos, con oportunidades para todos de acuerdo a sus habilidades o méritos".[50] Ese lema nacional creó una nación prospera. Inicialmente se creía que las personas podían alcanzar esa prosperidad a través de trabajar arduamente, pero esto ya no es así. Después del impacto de la década

---

[48] Jones y Woodbridge, *Health, Wealth and Happiness*, 16.

[49] Kate Bowler, *Blessed: A History of the American Prosperity Gospel* [*Bendecido: Una historia del evangelio estadounidense de la prosperidad*], (New York: Oxford University Press, 2005), 204.

[50] James Truslow Adams, *The Epic of America* [*La Epopeya de América*], (New York: Simon Publications, 2001), 214-215.

de 1960 las personas se sentían merecedoras de una vida cómoda sin la necesidad de esforzarse grandemente ni de esperar mucho tiempo. Hace algunos años las personas escucharon el tema de la prosperidad de Estados Unidos y querían ir a verla tal como la reina de Sabá deseaba ver el reino de Salomón (1 Reyes 10). Esa realidad ha cambiado; ya no es necesario ir a Estados Unidos para verla; una persona puede encender la televisión, sin importar qué tan remoto o pobre sea su lugar de residencia. El programa de televisión *The Lives of the Rich and Famous* [*La vida de los ricos y famosos*] se hizo muy popular, no solamente en Estados Unidos, sino también fuera de ellos, y no solamente por la curiosidad de las masas por ver cómo viven los ricos, sino porque le daba a las personas la capacidad de soñar por un momento. Los países poderosos exportan muchos bienes, pero también exportan sus creencias y culturas. En la actualidad, las personas incluso exportan el evangelio de la verdad o el evangelio del engaño, al mismo tiempo y a través de los mismos canales. Ya que Estados Unidos es una nación en donde todos parecen prosperar, todo mensaje que provenga de allí debe ser cierto, especialmente este. Ese es el pensamiento de muchos latinoamericanos.

El evangelio de la prosperidad ha inundado a América Latina y mucho de los seguidores de ese falso evangelio son, de acuerdo con algunos estudios, parte de la clase media.[51] Y ese es precisamente el grupo de personas que no ha sido alcanzado por el evangelio en muchos países del tercer mundo. Así que ellos han sido *pseudo* evangelizados con una versión de la verdad que está más cerca del infierno que del cielo.

América Latina necesita ser reevangelizada porque miles solo han escuchado el "evangelio" de la teología de liberación y por tanto se han convertido en *pseudo* cristianos, persiguiendo liberación de los males

---

[51] En 1985 un análisis de los 23 programas religiosos más exitosos encontraron que los televangelistas de la prosperidad se dirigían a la clase media más que a la clase trabajadora (con la excepción de Rex Humbard, el favorito de la clase trabajadora). Bowler, *Blessed: A History of the American Prosperity Gospel*, 233.

sociales como forma de redención. Este movimiento tuvo su mayor impacto en Centroamérica y Brasil. Muchos en esta región aún deben escuchar el evangelio. América Latina necesita ser reevangelizada porque muchos están seguros de su salvación basados en una profesión de fe hecha al escuchar un mensaje emotivo que culminó en un llamado al altar, en donde las personas pasan al frente e invitaron a Cristo a entrar en sus corazones sin arrepentirse ni comprender el papel de la cruz en su salvación. Esto explica por qué muchos nunca más regresan a las iglesias. América Latina necesita ser reevangelizada porque muchos de los que se dicen ser cristianos están siguiendo el movimiento de señales y milagros o la "ola de guerra espiritual" en busca de lo sobrenatural, pero sin conocer el evangelio. Pueden incluso ser sinceros en su búsqueda, pero aun así se dirigen a la condenación.

El problema con los otros evangelios es que representan una versión atenuada del mensaje real, lo que funciona de manera muy similar al virus atenuado que contiene una vacuna. Cuando las personas son vacunadas contra el sarampión, por ejemplo, la vacuna contiene una sepa modificada del verdadero virus. La idea de vacunar a las personas con un virus atenuado es crear anticuerpos en contra del verdadero virus con el fin de no contraer la enfermedad. Muchos católicos y evangélicos han sido inoculados con una versión atenuada del evangelio. Por ello, cuando escuchan el verdadero evangelio, lo rechazan porque han desarrollado anticuerpos en contra de la verdad. ¡Cuán triste es esto! Lamentablemente, muchos de los esfuerzos evangelistas de los últimos cuarenta años han sido dirigidos a muchas personas al infierno en lugar de al cielo.

Quizá puedas ahora comprender mejor el urgente llamado a reevangelizar a América Latina a través de la predicación expositiva de la Palabra, llevada a cabo por pastores, líderes y misioneros totalmente convencidos de que el evangelio es poder de Dios para salvación a todos los que creen.

2

LA PALABRA DE DIOS, CUANDO REALMENTE ES ACEPTADA, transforma nuestra sociedad

E n el capítulo anterior establecimos que América Latina cuenta con diversos distintivos de la fe cristiana; pero esa fe aún no ha logrado transformar su sociedad o por lo menos impactarla mediante la verdad divina. Este capítulo trata acerca de la herramienta que Dios nos ha dado para impactar dicha sociedad: Su palabra.

Cuando Dios nos dio Su Palabra, no solo nos dio Su ley, la revelación de Su carácter, ni el desarrollo de la historia redentora. Más allá de todo eso, Dios nos dio una cosmovisión centrada en Él. En otras palabras, Dios nos dio el lente con el cual podemos ver el mundo y lo que hay en él desde Su punto de vista.[1] A esto lo llamamos *cosmovisión bíblica*. En los primeros capítulos de Génesis podemos distinguir los principales elementos de esta cosmovisión:[2] Dios es el Creador del mundo (teología); el ser humano es creado a imagen de Dios (antropología); el entorno físico creado por Dios en tiempo y espacio está sometido a su Creador (metafísica) y el estándar para distinguir el bien del mal (axiología) es revelado: "De todo árbol del huerto podrás

---

[1] James Orr, *The Christian View of God and the World* [*La visión cristiana de Dios y el mundo*] (Grand Rapids: Kregel Publications, 1989), 32-36.
[2] Ronald Nash, *Worldviews in Conflict* [*Cosmovisiones en conflicto*] (Grand Rapids: Zondervan Publishing House, 1992), 34-53.

comer, pero del árbol del conocimiento del bien y del mal no comerás, porque el día que de él comas, ciertamente morirás" (Gn 2:16-17).

Es evidente que Dios es el único estándar y la única fuente revelatoria de la verdad absoluta, de la sabiduría y del conocimiento (epistemología). Él determinó qué frutos estaban permitidos y cuáles estaban prohibidos. Desde los primeros tres capítulos de la Biblia podemos identificar los elementos principales de la cosmovisión bíblica antes mencionados.

La palabra *cosmovisión* proviene de la palabra alemana *weltanschauung*, la cual describe una perspectiva que comprende la vida y el mundo.[3] Esta palabra ha sido usada por James Orr, Abraham Kuyper, Carl F. H. Henry y Francis Schaeffer.[4] Todos ellos veían la Biblia como una completa *weltanschauung*, una cosmovisión superior a otras perspectivas en verdad y consistencia.

Me sorprende ver cómo el autor de Génesis, Moisés, hace la transición de una visión centrada en Dios (Gn 1–2) a la descripción de un evento (Gn 3) que hace que el ser humano adquiera una perspectiva centrada en sí mismo, permitiéndonos ver cómo ese ser humano, ahora caído, ve, piensa y reacciona. Tan pronto como Dios revela Sus caminos, el ser humano decide desafiarlos. Solo un acto de desobediencia bastó para arruinar el orden creado por Dios. En la creación del mundo, cada cosa creada — la luz, el sol, la luna y las aguas— escuchó y respondió a la Palabra de Dios con obediencia. Cuando llegó el momento para que el ser humano —creado a imagen de Dios— decidiera, él terminó desafiando la palabra y la cosmovisión de Dios. Esta decisión trajo una serie de consecuencias que afectaron tanto a la primera pareja como a la primera familia, a la primera nación y, posteriormente, al resto del mundo.

Para explicar cómo la Palabra de Dios, cuando realmente es aceptada, puede transformar una sociedad, debemos revisar brevemente el

---

[3] David Naugle, *Worldview, The History of a Concept* [*Cosmovisión, historia de un concepto*] (Grand Rapids: W. B. Eerdmans Publishing Company, 2002), 64-66.
[4] Naugle, *Worldview, The History of a Concept*, 5-32.

poder de la palabra hablada. Por esta razón es importante empezar la discusión en Génesis 1, en la creación, en el momento en el que Dios habló y formó el universo. Al mismo tiempo, es importante que establezcamos la base del concepto de la cosmovisión bíblica y cómo esta se relaciona con los Diez Mandamientos, ya que en los siguientes capítulos estudiaremos cómo estos mandamientos representan la primera "constitución" que Dios dio a Su primera nación. La verdad es que la moral de la ley de Dios es el centro de la cosmovisión bíblica, como lo dijo John Frame: "En la cosmovisión bíblica, la ley de Dios, nuestra norma ética, es absoluta, debido al control absoluto y a la autoridad de Dios"[5]. J. I. Packer comparte una idea similar: "Cuando la moral absoluta de la ley no se respeta, la gente se deja de respetar a sí misma y a los demás; la humanidad se distorsiona y la sociedad cae en la mortal decadencia de explotación mutua y de indulgencia propia. Hoy conocemos todo acerca de esta enfermedad. Vale la pena considerar lo que implica curarla".[6]

Una forma importante en la que los creyentes pueden influenciar su entorno es organizando, defendiendo y viviendo de acuerdo con la cosmovisión bíblica. Los cristianos sucumbieron ante el impacto de la Ilustración debido a la falta de una base sólida de la cosmovisión bíblica para el ciudadano común. Cuando las creencias de la comunidad cristiana se debilitan, las consecuencias son mayores de las que aparentan:

La enorme influencia de las creencias religiosas sigue siendo, en gran medida algo oculto a la vista casual; su relación con el resto de la vida puede ser comparada con la relación de las grandes placas geológicas de la superficie de la tierra con los continentes y océanos. El movimiento de estas placas no es evidente

---

[5] John Frame, *The Doctrine of the Christian Life* [*La doctrina de una vida cristiana*] (Phillipsburg, PA: P&R Publishing, 2008), 46.

[6] J. I. Packer, *Keeping the 10 Commandments* [*Guardando los Diez Mandamientos*] (Wheaton, IL: Crossway, 2007), 13.

a la inspección ocasional de cualquier paisaje particular y solo puede detectarse con gran dificultad. Sin embargo, tan grandes son estas placas, y su poder tan formidable, que sus efectos visibles —terremotos y erupciones volcánicas— son pequeñas imperfecciones de la superficie comparadas con la fuerza de las poderosas placas.[7]

Ahora bien, si afirmamos que la Palabra de Dios, cuando realmente es aceptada, transforma nuestra sociedad, debemos examinar las siguientes premisas: 1) El poder inherente a la Palabra hablada (hoy escrita) ejercida a través de la influencia del cristiano y de la presentación de la cosmovisión bíblica en tantos escenarios como sea posible; 2) la desintegración del orden como consecuencia natural de la desobediencia humana a la Palabra de Dios; 3) el inicio de las naciones que Dios prometió bendecir desde un principio (Gn 12:3); 4) la Ley, resumida en los Diez Mandamientos, como la constitución de la primera nación creada y organizada por Dios; 5) la Ley que no puede salvar, pero que puede influenciar significativamente las leyes civiles de las naciones, limitando el mal e instruyendo la conciencia tanto de creyentes como de no creyentes. La Ley es un maestro extraordinario que nos muestra el carácter de Dios y Sus beneficios a favor de las naciones.

El poder de la Palabra de Dios

"En el principio creó Dios los cielos y la tierra". Estas son las palabras con las que Dios da inicio a Su revelación a la humanidad (Gn 1:1). La historia bíblica inicia confirmando la existencia de Dios, quien ha estado presente por la eternidad. Tan pronto como esto es establecido, el

---

[7] Roy Clouser, *The Myth of Religious Neutrality: An Essay on the Hidden Role of Religious Beliefs in Theories* [*El mito de la neutralidad religiosa: ensayo sobre el rol oculto de las creencias religiosas en la teorías*] (South Bend, IN: University of Notre Dame Press, 1991), 1.

poder de Su palabra se hace evidente. La historia nos permite ver cómo Su palabra no solo tiene poder de crear, sino también poder de organizar lo creado (Gn 1), porque "la Palabra de Dios no solo es poderosa, sino que tiene un propósito".[8] Una cosa es crear, y otra muy diferente es crear de manera ordenada. Dios (y por lo tanto Su palabra) no solo es poderoso, sino omnipotente, y no solo es omnipotente, sino también intencional. En teología se dice que Dios es simple (no simplista); es decir, todo lo que Dios es lo es a través de todo Su ser.[9] Si Dios es infinito —y lo es— entonces Su amor es infinito, al igual que Su gracia y el resto de Sus atributos. Si Dios es omnipotente, entonces también lo es Su palabra. Y debido a que Dios es intencional, cuando Dios habla, lo que comunica es una palabra llena de propósito y de poder, que siempre llevará a cabo lo que Él desea. Así fue como el universo se originó: primero en la mente de Dios y después mediante el poder de Su palabra.[10] Así como Dios organizó el universo con Su palabra, así organizaría a las naciones. La creación de las naciones y el establecimiento de su base moral fue Su idea en primer lugar (Gn 11, Hch 17:26).

Cuando Dios habla, hay respuesta a Su palabra porque Su palabra es tanto una expresión de Su voluntad como "una expresión de Él mismo".[11] Cuando Dios habla, las cosas se mueven, los eventos suceden, las montañas tiemblan, las aguas retroceden. La palabra de Dios es eficaz y cumple Su propósito. Cuando Dios dijo: "Júntense en un lugar las aguas que están debajo de los cielos", las aguas se juntaron en un lugar y se descubrió lo seco. No hubo caos debajo del cielo cuando las aguas se movieron. Así es el poder organizacional de la palabra de

---

[8] John Frame, *The Doctrine of the Word of God* [*La doctrina de la Palabra de Dios*] (Phillipsburg, PA: P&R Publishing, 2010).

[9] Wayne Grudem, *Systematic Theology* [*Teología sistemática*] (Grand Rapids: Zondervan, 1994), 177.

[10] Grudem, *Systematic Theology*, 55

[11] H. M. Spence y Joseph Exell, *Genesis, Exodus* [*Génesis, Éxodo*], de *The Pulpit Commentary*, vol. 1 [*Comentario desde el púlpito*] (McLean, VA: Macdonald Publishing Company, 1985), 8.

Dios. Cuando Dios dijo: "Produzca la tierra vegetación", los árboles aparecieron donde debían y produjeron fruto. Cuando Dios dijo: "Haya lumbreras en la expansión de los cielos para separar el día de la noche", el sol y la luna fueron creados del tamaño y a la distancia necesaria para mantener la vida. Una luna un poco más grande o un poco más cerca hubiera causado mareas tan altas que inundarían el planeta y cambiarían su eje peligrosamente.[12] No hubo confusión ante la voz de Dios. Cuando Dios terminó de crear el universo, vio todo lo que había hecho y concluyó que "era bueno en gran manera" (Gn 1:31). Esto era de esperarse, ya que "las obras expresan la mente, el espíritu, la voluntad y el carácter del creador".[13] Así, lo que Dios había hecho era bueno porque le reflejaba. Cuando Dios habla, emana un poder capaz de crear lo que Él tiene previsto. Eso es lo que Dios dijo por medio del profeta Isaías en 55:11: "Así será Mi palabra que sale de Mi boca, no volverá a Mí vacía sin haber realizado lo que deseo, y logrado el propósito para el cual la envié.". Esto fue verdad al momento de la creación, y lo fue también al pie del monte Sinaí, cuando Dios entregó Su ley al pueblo de Israel.

Con esto podemos concluir que la palabra de Dios es poderosa, pero no es simplemente una fuerza. No es como la fuerza de gravedad que atrae las cosas hacia abajo pero sin ordenarlas al caer. La palabra de Dios no solo es poderosa, sino que tiene un propósito y es de incuestionable autoridad. Ninguna voz es como la de Él y ningún otro poder o fuerza tienen estas características. Es única. Cuando Dios habló, lo que creó no fue solamente un universo material, sino un cosmos en equilibrio perfecto e intencional. Así, el mundo se convirtió en el escenario donde Dios planeaba mostrar Su gloria (*theatrium gloriae*), en palabras de Juan Calvino.[14]

---

[12] Robert Gange, *Origins and Destiny, A Scientist Examines God's Handiwork* [*Origen y destino, un científico examina la obra de Dios*] (Dallas: Word Publishing, 1986).

[13] Spence y Exell, *Genesis, Exodus*, 8.

[14] John Calvin, *Institutes of the Christian Religion* [*Institución de la religión cristiana*] (Peabody, MA: Hendrickson Publishers, Inc., 2008), 101.

La casualidad no pudo haber creado esto porque carece de la inteligencia para diseñar, de propósito para organizar y de todas las cualidades que posee un Ser infinito para crear algo de la nada. De hecho, la casualidad es solo una posibilidad una vez que los eventos han ocurrido. Nada había sucedido hasta que Dios creó de la forma en que lo hizo. La casualidad no tiene poder porque no tiene existencia.[15] Pero en el principio estaba Dios. Él es la causa detrás del efecto, como debe serlo. Si algo existe, alguien en algún lugar debe tener el poder de la existencia,[16] y ese alguien es *Elohim,* el Dios creador. Su palabra no es solo responsable de crearlo todo, sino también de sustentarlo todo. En Dios reside el poder de la existencia. Esto es lo que se nos reveló en Hebreos 1:3: "Él es el resplandor de Su gloria y la expresión exacta de Su naturaleza, y sostiene todas las cosas por la palabra de Su poder".

Ahora bien, esa misma palabra divina creadora es la misma que estableció la formación del pueblo de Israel en el monte Sinaí. Las naciones no son capaces de existir sin un poder organizador y sustentador que les provea de dirección, estabilidad, integración y esperanza. Esto es lo que una cosmovisión congruente debe detallar. Cuando una cosmovisión es articulada y defendida ante un mundo incrédulo, muchos prestan atención. Esta cosmovisión puede incluso abrir la puerta a la presentación del evangelio completo.

Los Diez Mandamientos representan los principios éticos necesarios para la organización de la sociedad. Más de dos millones de judíos vagando en el desierto fueron organizados como una nación basada en estos mandamientos. Aunque el pueblo no los obedeció al pie de la letra, estos mandamientos enseñaron al pueblo cómo vivir y crearon un marco para ayudarlos a vivir de forma civilizada, como sucedió después con las naciones del occidente. Estos mandamientos forman parte de la palabra

---

[15] R. C. Sproul, *Not a Chance [De ninguna manera]* (Grand Rapids: Baker Books, 1994), 209-210.
[16] Sproul, *Not a Chance,* 113-17.

de Dios, que es poder en acción. Dios "sostiene todas las cosas por la palabra de Su poder" (Heb 1:3). El apóstol Pablo, hablando a los ciudadanos de Atenas, los cuales no conocían a Dios, les dijo que "de uno hizo todas las naciones del mundo" (Hch 17:26) y en contexto añade "porque en Él vivimos, nos movemos y existimos" (Hch 17:28). El poder que sustenta el universo entero, incluyendo la humanidad, reside en Dios.

Dios y Su palabra nunca existen por separado. Su palabra es un perfecto reflejo de quién es Él. Como lo establece John Frame:

> Así que la palabra es Dios. Donde sea que encontremos la palabra de Dios, encontramos a Dios. Cuando encontramos a Dios, encontramos Su palabra. No podemos encontrar a Dios sin Su palabra, o a Su palabra sin Dios. La palabra de Dios y Dios son inseparables. De hecho, Su palabra es la presencia de Dios. Donde la palabra de Dios sea predicada, leída o escuchada, ahí estará Dios.[17]

Existen dos cosas que representan la esencia de Dios: Su nombre y Su palabra. Por esta razón, el salmista dice en el Salmo 138:2^b: "Porque has engrandecido Tu palabra conforme a todo Tu nombre".[18]

La desintegración del orden: el caos

Si la palabra de Dios crea y sostiene las vidas de los individuos y de las naciones, esperaríamos que la desobediencia a Su palabra va a tener el efecto contrario: una regresión al caos. Y eso es precisamente lo que ha sucedido en la vida de las naciones.

---

[17] Frame, *The Doctrine of the Word of God*, 68.
[18] Las citas bíblicas son tomadas de *La Biblia de las Américas* © 1986, 1995, 1997 por The Lockman Foundation. Usadas con permiso.

Dios habló, el mundo fue creado y después Adán y Eva recibieron la vida. En ese momento existía una sola restricción: "del árbol del conocimiento del bien y del mal no comerás, porque el día que de él comas, ciertamente morirás" (Gn 2:17). Pero la primera pareja desobedeció y todo cambió: ahora Adán y Eva necesitaban leyes que conocían en su corazón y en su mente. Cornelius Van Til, filósofo cristiano, teólogo reformado y apologeta presuposicional lo explica de la siguiente manera:

La ley que tenemos fue decretada después de la entrada del pecado [al mundo]. Inicialmente no había necesidad de la promulgación externa. Adán era por naturaleza religioso. La ley estaba escrita en su corazón. El profeta Jeremías prometió que el Mesías restauraría esta condición. Cristo nos ha dado una vez más el amor verdadero por Dios y, por lo tanto, el amor verdadero por la ley de Dios (Jer 31:33-34).[19]

Adán y Eva se alejaron de Dios y, a su tiempo, las naciones hicieron lo mismo. Por lo tanto, si las naciones se han de alinear con la plomada de Dios, tendrán que confiar y aplicar la palabra que le dio forma al universo en primera instancia, la palabra que hizo posible "el mover la nada" o el espacio vacío para crear todo lo que existe. Es la misma Palabra que organizó el universo en un perfecto equilibrio de espacio, materia, tiempo y energía, la misma que tiene el poder de dar vida a una persona espiritualmente muerta. Como habíamos mencionado, esta palabra de Dios es capaz de organizar las naciones que nunca la aceptaron en el seno de sus sociedades (más allá de las iglesias) como sucede en el tercer mundo, donde muchas veces la palabra solo ha sido recibida a nivel de las iglesias. Lo mismo puede ser dicho de las

---

[19] Cornelius Van Til, *The Ten Commandments* [*Los Diez Mandamientos*] (Philadelphia: Westminster Theological Seminary, 1933), 244, versión electrónica.

naciones que se han alejado de Su camino, como es el caso de algunos países en Europa y, recientemente, de Estados Unidos.

Es vital recordar que la muerte y el caos llegaron al mundo como resultado de una sola violación a la palabra de Dios que arruinó todo lo que Él había creado en seis días. Cuando Adán desobedeció la palabra de Dios, toda la creación cayó con él. El ser humano había cometido una "traición cósmica", como le llama R. C. Sproul.[20] Adán traicionó a su Creador al cuestionar Su palabra e intentar independizarse. Esta fue una traición cósmica porque trajo consecuencias cósmicas.

Al leer Génesis capítulos del 3 al 11 podemos ver claramente cómo el caos se multiplicó. Había tanta corrupción moral en la tierra que Dios decidió traer un diluvio como juicio. El ser humano continuó su viaje hacia el este del Edén y encontró un lugar en la tierra de Sinar. Si comer el fruto prohibido representó el acto de independencia de Adán y Eva, lo que siguió puede ser visto como una guerra de independencia. Con el paso del tiempo el ser humano adquirió un fuerte deseo de independizarse y alejarse de Dios lo más que se pueda, y así inmortalizarse a sí mismo. En lugar de glorificar al Señor, los humanos se rebelaron. El hecho de que todos hablaban un mismo idioma y que todos se encontraban juntos facilitó la multiplicación del pecado en gran manera. Esta es la descripción de lo sucedido:

> Toda la tierra hablaba la misma lengua y las mismas palabras. Y aconteció que según iban hacia el oriente, hallaron una llanura en la tierra de Sinar, y se establecieron allí. Y se dijeron unos a otros: Vamos, fabriquemos ladrillos y cozámoslos bien. Y usaron ladrillo en lugar de piedra, y asfalto en lugar de mezcla. Y dijeron: Vamos, edifiquémonos una ciudad y una torre cuya cúspide

---

[20] R. C. Sproul, *The Holiness of God* [*La santidad de Dios*] (Carol Stream, IL: Tyndale House Publishers, 1998), 116.

llegue hasta los cielos, y hagámonos un nombre famoso, para que no seamos dispersados sobre la faz de toda la tierra (Gn 11:1-4).

Una vez más, Calvino nos ayuda a entender la actitud de la humanidad: "Edificar una ciudad no era un crimen; pero levantar un monumento eterno para ellos mismos, que duraría por siglos, era una prueba de orgullo obstinado y de desprecio a Dios".[21]

Esta vez Dios decidió castigar su maldad. No mandó un diluvio, pero los confundió con diferentes lenguas y los esparció por toda la tierra. "Lo que es descrito geográfica y lingüísticamente en el capítulo 10 es descrito en el capítulo 11 teológicamente como la dispersión de las naciones por parte de Dios desde Babilonia".[22] Así que el resultado de que los humanos no se entiendan unos a otros debido a su idioma no es el resultado de un accidente, sino de una maldición. El siguiente es un comentario acerca de este evento:

Las diferencias que surgieron de este evento, no solamente fueron variaciones de sonido (como las atribuidas a los órganos del habla, los labios y la lengua), sino algo más profundo en la mente del ser humano. Si el idioma es la expresión audible de emociones, conceptos y pensamientos de la mente, la causa de la confusión y de la división del único idioma conocido en diferentes dialectos debe buscarse en un efecto en la mente en la que la unión de emociones, conceptos, pensamientos y voluntad se dividieron. Esta unión interna ya había sido perturbada por el pecado, pero esta alteración no había alcanzado el punto de quiebre. Esto sucedió en los eventos narrados previamente,

---

[21] John Calvin, *Commentary on Genesis* [*Comentario sobre Génesis*], vol. 1 (Grand Rapids: Baker Books, 1974), 198.

[22] John Sailhamer, *Genesis*, de Tremper Longman y David Garland (eds.), *The Expositor's Bible Commentary*, vol. 1 [*El comentario bíblico del expositor*], (Grand Rapids: Zondervan, 2008), 142.

mediante una manifestación directa del poder divino, que causó la perturbación creada por el pecado en la unión emocional, mental y volitiva, resultando en una diversidad de idiomas y, por lo tanto, en una milagrosa interrupción del entendimiento, lo que frustró la obra con la que los hombres esperaban obtener una imposible independencia.[23]

El ser humano no solo empezó a hablar idiomas diferentes; también comenzó a pensar diferente. Esto resultó en una verdadera separación. Recordemos que la única explicación de este evento es el rechazo del mismo ser humano frente a la palabra de Dios. Por tanto, la restauración del orden no tendría lugar sin la aceptación de la palabra divina.

El inicio de las naciones

La mayoría de los cristianos piensan que el poder de la Palabra de Dios es capaz de transformar vidas individuales, pero muy pocos piensan que ese mismo poder puede transformar naciones. Dios ha mostrado interés en las naciones desde un inicio. Él las creó, las mantiene y las utiliza para que sean de bendición unas a otras, y en algunos casos las ha utilizado como agentes de juicio unas contra otras, como atestigua el registro bíblico. La bendición de las naciones es algo que Dios prometió mucho antes de la venida de Cristo (Gn 12). Y esto no ocurrirá separado de Su palabra.

Dios ideó una situación, después de la torre de Babel, que forzó a los seres humanos a migrar, formando diferentes naciones. Desde ese momento las naciones se desarrollaron bajo el cuidado providencial de Dios. Fue "la dispersión de Dios". Este evento fue consecuencia del

---

[23] C. F. Keil, *The Pentateuch* [*El Pentateuco*], de *Commentary on the Old Testament, vol. 1* [*Comentario del Antiguo Testamento*] (Peabody, MA: Hendrickson Publishers, 1996), 110-111.

pecado del ser humano, que continuó tan malvado como antes del diluvio. Cuando el ser humano migró, Dios determinó los límites de las distintas naciones, como vemos en Hechos 17:26. Estas eran naciones que Dios bendeciría en el futuro (Gn 18:18, 22:18, 26:4, Sal 33:12, 148:5-6. Is 45:12). Desde la dispersión mencionada en Génesis 11, Su palabra no ha dejado de actuar; continúa funcionando de la misma manera: creando, manteniendo, guiando, orquestando y trazando el curso de la historia humana. La historia de estas naciones es una de las formas en las que Dios nos revela Su persona (Job 12:23, Sal 47:7-8; 66:7; Is 10:5-13; Dn 2:21). Algunos opinan que Dios tiene tres diferentes revelaciones: Su palabra infalible (manifestación especial), la creación (manifestación general) y la historia de la humanidad.[24] En otras palabras, el autor de la Biblia es el mismo autor de la historia del universo. En 1876 el reverendo S. W. Foljambe resumió este punto definiendo la historia como "la autobiografía de Aquel 'que hace todas las cosas conforme al consejo de Su voluntad' (Ef 1:11), y Quien sincroniza misericordiosamente los eventos según el consejo de Su Cristo y del reino de Dios en la tierra. Es Su historia".[25] Esto es lo que otros simplemente llaman la doctrina de la providencia.[26] En la creación, Dios ordenó todas las cosas mediante Su palabra; después de la caída sobrevino el caos y, en consecuencia, Dios intenta traer de nuevo el orden mediante Su misma palabra (Ro 8:17-21; 10:13-17; Ap 19–22).

En el relato bíblico, justo después de la dispersión de las naciones (Gn 10–11), Dios llamó a un hombre, Abraham, y a partir de él Dios prometió formar una nación, Israel. Todas las naciones del mundo serían bendecidas por medio de Israel, la nación donde nacería el Mesías.

---

[24] Millard Erickson, *Christian Theology* [*Teología sistemática*] (Grand Rapids: Baker Books, 1985), 186, publicado al español por CLIE en 2009.

[25] Verna Hall, *The Christian History of the American Revolution: Consider and Ponder* [*La historia cristiana de la Revolución Estadounidense*] (San Francisco: Foundation for American Christian Education, 1976), 47.

[26] Robert Culver, *Systematic Theology* [*Teología sistemática*] (Fearn, Scotland: Christian Focus Publications, 2005), 194.

Dios siempre se ha preocupado por cada uno de nosotros como individuos, pero también se preocupa por las naciones, al punto que determina los límites de las naciones del mundo (Hch 17:26). Por medio de dos hombres, Adán y después Noé, surgieron todas las naciones de la tierra. Ahora, por medio de Abraham iba a surgir una nación que se convertiría en el pueblo escogido de Dios. Lo que Dios no creó por medio de todos los pueblos antes de Génesis 12 estaba por hacerlo por medio de una nación:

> Y el Señor dijo a Abram: Vete de tu tierra, de entre tus parientes y de la casa de tu padre, a la tierra que Yo te mostraré. Haré de ti una nación grande, y te bendeciré, y engrandeceré tu nombre, y serás bendición. Bendeciré a los que te bendigan, y al que te maldiga, maldeciré. Y en ti serán benditas todas las familias de la tierra. (Gn 12:1-3).

"Dios establece que Su relación con otros, será determinada por la relación que mantengan con Abram".[27] Dios iba a trabajar de una manera muy especial con Su nación y a través de ella. Abraham no vio el cumplimiento de la promesa de Dios, pero nosotros lo hemos visto. A través de Abraham vino el Mesías, Jesucristo, y a través de Cristo todas las naciones de la tierra reciben bendición. No fue a través de Abraham que todas las familias de la tierra fueron bendecidas porque Abraham no vivió tanto tiempo. Obviamente Dios se dirigía hacia alguien diferente, mayor que Abraham, que trascendería el tiempo: "Por esta razón Lutero sentía que la promesa de Dios en Génesis 12:3 reveló no solo la redención de la humanidad, sino también la encarnación de Jesús".[28]

---

[27] Victor Hamilton, *The Book of Genesis 1-17* [*El libro de Génesis 1-17*], de *The New International Commentary on the Old Testament* (Grand Rapids: W. B. Eerdmans Publishing Co., 1990), 373.

[28] James Montgomery Boyce, *Genesis, vol.2* [*Génesis*] (Grand Rapids: Baker Books, 1998), 451.

Aun así, continuamos esperando el resultado de esa promesa. Por medio de Abraham nació Isaac (Gn 17); por medio de Isaac, Jacob (Gn 25), el cual tuvo doce hijos que a su tiempo llegaron a ser los jefes de las doce tribus de Israel. José fue vendido como esclavo y fue llevado a Egipto (Gn 37). Con el paso del tiempo, y a través de una serie de acontecimientos, José llegó a ser la mano derecha de Faraón. Los hermanos de José junto con Jacob, su padre, se vieron forzados a dejar Canaán por falta de alimento y se dirigieron a Egipto. Allí José perdonó a sus hermanos por el pecado que habían cometido contra él. Sus hermanos no solo fueron perdonados, sino que recibieron la protección de José. Desafortunadamente, el curso de la historia cambió para estas familias:

> Estos son los nombres de los hijos de Israel que fueron a Egipto con Jacob; cada uno fue con su familia: Rubén, Simeón, Leví y Judá; Isacar, Zabulón y Benjamín; Dan, Neftalí, Gad y Aser. Todas las personas que descendieron de Jacob fueron setenta almas. Pero José estaba ya en Egipto. Y murió José, y todos sus hermanos, y toda aquella generación. Pero los hijos de Israel fueron fecundos y aumentaron mucho, y se multiplicaron y llegaron a ser poderosos en gran manera, y la tierra se llenó de ellos. Y se levantó sobre Egipto un nuevo rey que no había conocido a José (Éx 1:1-8).

Los hijos de Jacob (Israel) estuvieron en Egipto por 430 años (Éx 12:40) hasta que Dios llamó a Moisés en el desierto para ir a rescatar a Su pueblo, como vemos en Éxodo 3. "Muchos comentaristas advierten la notoria ausencia de Dios en los primeros dos capítulos de Éxodo".[29] Aunque puede ser que el nombre de Dios esté ausente en estos primeros capítulos, Su misericordioso cuidado no lo está. No es el propósito

---

[29] Donald Gowan, *Theology in Exodus* [*Teología en Éxodo*] (Louisville: Westminster John Knox Press, 1994), 2.

de este libro revisar los detalles de la historia, sino repasar rápidamente los eventos que llevaron a que Dios entregara Su ley al pueblo de Israel en el monte Sinaí y, además de esto, examinar el rol de estas leyes en las vidas de las personas. Dios, por medio de Moisés, nos presenta Su propio punto de vista acerca de la ley que da a Su pueblo:

> Mirad, yo os he enseñado estatutos y decretos tal como el Señor mi Dios me ordenó, para que los cumpláis en medio de la tierra en que vais a entrar para poseerla. Así que guardadlos y ponedlos por obra, porque esta será vuestra sabiduría y vuestra inteligencia ante los ojos de los pueblos que al escuchar todos estos estatutos, dirán: "Ciertamente esta gran nación es un pueblo sabio e inteligente". Porque, ¿qué nación grande hay que tenga un dios tan cerca de ella como está el Señor nuestro Dios siempre que le invocamos? ¿O qué nación grande hay que tenga estatutos y decretos tan justos como toda esta ley que hoy pongo delante de vosotros? (Dt 4:5-8).

Estos "estatutos y decretos" citados en el texto anterior son parte de la ley de Dios. Como dijo Moisés, la ley de Dios es una bendición tan grande que ninguna otra nación de ese tiempo (ni de hoy en día) puede superar. Una nación sin la ley de Dios es una nación caótica. Tan solo debemos ver la situación que se vive en el Medio Oriente y en el mundo musulmán. Por otro lado, podemos ver lo que pasó en lugares como Ginebra, Inglaterra, Alemania y Estados Unidos cuando fueron impactados por la Palabra de Dios. Israel se convertiría en una gran nación, pero no de acuerdo con el estándar de este mundo: riquezas, poder y tecnología. Más bien, Dios quería una nación de la que se dijera: "Ciertamente esta nación es un pueblo sabio y entendido".[30]

---

[30] Peter Craigie, *The Book of Deuteronomy* [*Deuteronomio*], de *The New International Commentary on the Old Testament* (Grand Rapids: W. B. Eerdmans Publishing Co., 1976), 131.

La entrega de los Diez Mandamientos

Después de más de cuatro siglos de esclavitud, Dios, a través de Moisés, liberó a Su pueblo de Egipto. Esto no representó la Teología de la Liberación (Dios libera a Su pueblo de la injusticia), como algunos teólogos latinoamericanos han opinado. Más bien, aquí está representada la teología de la elección: Dios libera a Su pueblo mientras deja atrás a miles de esclavos egipcios.[31] Fueron necesarias diez plagas, pobremente toleradas por Faraón, para lograr la liberación. La descendencia de Jacob, más de dos millones de personas, fue llevada al desierto para servir a Dios. Ahí, Dios formó una nación. Personas individuales (Abraham, Isaac y Jacob) y también naciones (Israel y aquellos que bendijeron y maldijeron al pueblo) han estado en la mente de Dios desde el principio, como le fue anunciado a Abraham cuando fue llamado (Gn 12:3). Posteriormente, Dios llevó a cabo Su plan para las naciones. Bendijo una nación (Israel) y castigó otra (Egipto). Castigó a Egipto por esclavizar a Israel y, acto seguido, bendijo a Israel en el desierto. Más tarde, Dios usó al mismo pueblo de Israel para castigar a las naciones que ocupaban la tierra prometida por sus pecados (Dt 7). Luego, llevó a los israelitas a que ocuparan la tierra de aquellas naciones. Aun así, con el paso del tiempo, Israel sería castigado por Asiria (722 a.C.) y después por Babilonia (586 a.C.) debido a que no siguieron el camino de Dios. Él dice a través del profeta Isaías: "Porque Yo soy el Señor tu Dios, el Santo de Israel, tu Salvador; he dado a Egipto por tu rescate, a Cus y a Seba en lugar tuyo" (Is 43:3). La idea aquí es que en lugar de Israel rendirse, tres naciones han tomado su lugar como sustitutos. Estos pueblos representan las naciones paganas en general. El juicio que resultó en destrucción no cayó sobre Israel, sino sobre estas naciones. Estas naciones fueron las sustitutas de Israel.[32]

---

[31] J. Douma, *The Ten Commandments: Manual for the Christian Living* [*Los Diez Mandamientos: manual para una vida cristiana*] (Phillipsburg, NJ: P&R Publishing Company, 1996), 7-9.

[32] Edward Young, *The Book of Isaiah*, vol. 3 [*El libro de Isaías*] (Grand Rapids: W. B. Eerdmans Publishing Company, 1972), 143.

Las naciones, y no solo los individuos, han sido parte del plan de Dios. Esto refuerza el concepto de este libro, de que la ley de Dios, cuando es tomada en cuenta, puede ser de bendición para las naciones, incluso en ausencia de una teonomía. Varios han utilizado el término *teonomía* de distintas formas.[33] En este libro me permito definir *teonomía* como la creencia de que las leyes civiles que Dios entregó al pueblo de Israel estaban destinadas a ser las mismas para todas las naciones, en todo momento.[34,35] Defender el sistema teonómico para las naciones de hoy significa ignorar varios aspectos establecidos en la Biblia: Dios ya no está enfocado en una nación (Israel), sino en Su iglesia (César contra Dios, Mt 22:21); Cristo cumplió la ley y creó un nuevo pacto, instaurando así un elemento de discontinuidad entre el Antiguo Testamento y el Nuevo; y las naciones hoy no se rigen por la teocracia, como lo hizo Israel. Ahora nos regimos por gobiernos que a pesar de sus fallas, la Biblia los llama servidores de Dios (Ro 13:4). Los gobiernos cumplen el propósito de Dios, tienen el poder de llevar a cabo la justicia, pero debemos admitir que no se asemejan a una verdadera teocracia.

Las leyes del Antiguo Testamento ejemplifican principios universales de los cuales podemos aprender, pero las reglas cambiaron por las razones descritas anteriormente. Para entender mejor estas ideas debemos distinguir entre la verdad y las reglas. Las reglas pueden cambiar porque representan ordenanzas dadas para regular el comportamiento de las poblaciones en diferentes tiempos de la historia humana.[36] Por

---

[33] Philip Graham Ryken, *Written in Stone* [*Escrito en piedra*] (Phillipsburg, NJ: P&R Publishing Company, 2010), 17.
[34] Greg Bahnsen, "The Civil Government is to Enforce God's Criminal Law" ["El gobierno civil está puesto para reforzar la ley penal de Dios], en Stanley Gundry (ed.), *Five views on Law and Gospel* [*Cinco puntos sobre la ley y el evangelio*] (Grand Rapids: Zondervan, 1999), 124-143.
[35] John Frame, *The Doctrine of the Christian Life* [*La doctrina de la vida cristiana*] (Phillipsburg, NJ: P&R Publishing, 2008), 217-224
[36] Norman Geisler, "Truth, Nature of" ["Verdad, naturaleza de la"], en Norman Geisler (ed.), *Baker Encyclopedia of Christian Apologetics* [*Enciclopedia Baker de apologética cristiana*]

ejemplo, en un tiempo los judíos no podían casarse con un gentil de acuerdo a la ley de Dios. Eso cambió en el Nuevo Testamento, pero la verdad detrás de esta regla se mantiene ("No estéis unidos en yugo desigual con los incrédulos", 2Co 6:14). La regla cambió, pero la verdad (la razón divina) detrás de ella permanece. La verdad es un principio que no cambia. Está basada en el carácter eterno de Dios y, por lo tanto, es universal y permanente. Detrás de reglas que pueden cambiar, existen principios de justicia, misericordia y moral que no cambian. Las leyes civiles representan reglas que requieren diferentes naciones en tiempos diferentes, las cuales varían de acuerdo con la población, el lugar y las circunstancias.[37]

La teonomía no representa la perspectiva del Nuevo Testamento, pero el buen uso de la ley de Dios puede influenciar el curso de las naciones y no solo de los individuos. William Barclay, un popular intérprete escocés del Nuevo Testamento, expresa la importancia de estas leyes: "Los Diez Mandamientos son la ley sin la cual el carácter de las naciones sería imposible. Son la base de la existencia de la comunidad. El recibimiento y aceptación de estas leyes cambió a las personas de ser un grupo capaz de rebelarse y esclavizarse a ser una nación".[38]

Wayne Grudem, en su libro *Politics According to the Bible* [*Política según la Biblia*], escribe desde una perspectiva política, pero a través de un lente cristiano, acerca de la importancia de contar con buenas leyes. Estas leyes no son establecidas sin la influencia que el pueblo de Dios puede ejercer. Él dice:

Sin la influencia cristiana, los gobiernos no tendrían una guía moral. Intenta imaginar una nación sin ninguna influencia

---

(Grand Rapids: Baker Books, 1999).

[37] Un límite de velocidad es una regla que puede cambiar, pero detrás de ella existe una verdad que no cambia: la santidad de proteger la vida.

[38] William Barclay, *The Ten Commandments* [*Los Diez Mandamientos*] (Louisville: Westminster John Knox Press, 1998), 3-4

cristiana. Imagina como sería si todas las iglesias cristianas en una sociedad dejaran de ejercer influencia en las leyes y en el gobierno.[39]

Algunos se preguntarán qué caso tiene enseñar estos mandamientos a quienes no tienen el Espíritu Santo. Pero esta observación ignora el hecho de que hubo un tiempo, aun en nuestra propia generación, cuando males como el aborto y la eutanasia eran considerado ilegales e inmorales por la sociedad. Esto fue cierto aun cuando la mayor parte de la sociedad no estaba compuesta por personas que habían nacido de nuevo. Los gobiernos no pueden salvar a nadie, pero ejercen una gran influencia en el comportamiento de la gente cada vez que crean leyes que van de acuerdo con o en contra de la ley moral de Dios. La Biblia revela que la ira de Dios se enciende cuando se aprueban leyes que violan Su santidad: "¡Ay de los que decretan estatutos inicuos, y de los que constantemente escriben decisiones injustas!" (Is 10:1). Si esto es verdad —y lo es— los cristianos deberíamos influenciar las leyes de las naciones para reflejar la ley de Dios, de otra forma veremos las consecuencias de la disciplina de Dios.

Lo que los gobiernos aprueban, lo promueven; y al promover lo aprobado, esto actúa como una estrategia efectiva de mercadología aun sin ser ese su propósito. Para empeorar las cosas, la gente, y en particular los jóvenes, asumen que lo que es legal es moral y por lo tanto es bueno. Pero sabemos que la Biblia dice que lo que es contrario a la ley de Dios no contribuye con el florecimiento humano, sino que lleva a la autodestrucción de la vida, del matrimonio, de la familia e incluso de la nación (Ro 1:18-32). Los Diez Mandamientos forman parte de la ley escrita en la conciencia de las personas.[40] Además de las personas,

---

[39] Wayne Grudem, *Politics According to the Bible* [*Política según la Biblia*] (Grand Rapids: Zondervan, 2010), 68.

[40] Michael Horton, *The Law of Perfect Freedom* [*La ley de la perfecta libertad*] (Chicago: Moody Publishers, 1993), 31.

las naciones también pueden responder a la predicación del consejo de Dios. Dios puede otorgar gracia para responder. Él reveló Su verdad mediante el profeta Jeremías: "En un momento Yo puedo hablar contra una nación o contra un reino, de arrancar, de derribar y de destruir; pero si esa nación contra la que he hablado se vuelve de su maldad, me arrepentiré del mal que pensaba traer sobre ella" (Jer 18:7-8). En la historia redentora podemos ver cómo hizo Dios exactamente eso con los habitantes de Nínive (Jon 3).

Los Diez Mandamientos de Dios son únicos en más de una forma. Ninguna otra ley incorpora el concepto de una ley natural. Con *ley natural* nos referimos al discernimiento con el cual, gracias a la razón humana, definimos lo que es bueno o lo que es malo de acuerdo con lo revelado por Dios en la creación y en la conciencia del hombre.[41] Pablo afirma en Romanos 1:18-21 que el ser humano sabe que Dios existe; el ser humano puede discernir Su existencia a partir de lo creado, y lo sabe en su conciencia. Por lo tanto, el ser humano "no tiene excusa" (Ro 1:20). En el siguiente capítulo Pablo nos presenta más información acerca de esta ley natural que todo ser humano posee:

> Porque cuando los gentiles, que no tienen la ley, cumplen por instinto los *dictados* de la ley, ellos, no teniendo la ley, son una ley para sí mismos, ya que muestran la obra de la ley escrita en sus corazones, su conciencia dando testimonio, y sus pensamientos acusándolos unas veces y otras defendiéndolos, en el día en que, según mi evangelio, Dios juzgará los secretos de los hombres mediante Cristo Jesús (Ro 2:14-16).

Por la razón expresada en Romanos 2, Dios llamó a cuentas a las personas por Su ley moral (comúnmente llamada ley natural) cuando

---

[41] Mark Rooker, *The Commandments, Ethics for the Twenty-first Century* [*Los mandamientos; ética para el siglo 21*] (Nashville: B&H Publishing Group, 2010), 194-196.

esta fue violada antes de que Moisés expusiera la ley. "Esta es la ley que Dios dio al ser humano a partir de Adán".[42] Los siguientes son solo algunos ejemplos de cómo Dios llamó a cuentas a las personas en relación con los Diez Mandamientos, aun cuando estas ordenanzas serían entregadas en el futuro: 1) En Génesis 4, Caín es hallado culpable de tomar la vida de su hermano Abel, violando el Sexto Mandamiento. 2) En Génesis 20, Dios llama a cuentas a Abimelec por casi cometer adulterio con Sara, la esposa de Abraham, lo cual hubiera sido una violación al Séptimo Mandamiento, mientras que Abraham es hallado culpable de mentirle a Abimelec, violando así el Noveno Mandamiento. 3) En Génesis 31, Raquel es hallada culpable de robar los ídolos de la casa de su padre, violando el octavo mandamiento, e incluso en el mismo capítulo es culpable de adorar a estos dioses falsos, violando tanto el primer mandamiento como el segundo.

Es por esta razón que los Diez Mandamientos son considerados leyes no solo para el pueblo de Israel, sino para todas las naciones. Dios "manda a todos los hombres en todo lugar que se arrepientan" (Hch 17:30). Dios pedirá cuentas a las naciones por estas leyes. Calvino escribe el siguiente comentario en el libro *Institución de la Religión Cristiana*:

> La ley moral se resume en dos puntos: uno que simplemente nos ordena adorar a Dios con fe y piedad, y el otro que nos pide aceptar a los hombres con afecto sincero. La ley moral es la autoridad de la justicia eterna y verdadera dada a los hombres de todas las naciones en todos los tiempos, las cuales encaminarán su vida de acuerdo con la voluntad de Dios.[43]

---

[42] R. C. Sproul, *Now That is a Good Question* [*¡Qué buena pregunta!*] (Wheaton, IL: Tyndale House, 1996), 573.
[43] Calvin, *Institutes of the Christian Religion*, 1503.

A. W. Pink coincide: "La ley moral está basada en la relación que existe dondequiera que haya criaturas con razón y voluntad".[44] La primera acción de Dios en la fundación de Su pueblo fue entregarles Su ley resumida en los Diez Mandamientos. Israel había salido de Egipto hacía apenas tres meses cuando Dios bajó al monte Sinaí y llamó a Moisés para entregarle Su primera constitución:

Y Moisés subió hacia Dios, y el Señor lo llamó desde el monte, diciendo: Así dirás a la casa de Jacob y anunciarás a los hijos de Israel: "Vosotros habéis visto lo que he hecho a los egipcios, y cómo os he tomado sobre alas de águilas y os he traído a Mí. Ahora pues, si en verdad escucháis Mi voz y guardáis Mi pacto, seréis Mi especial tesoro entre todos los pueblos, porque Mía es toda la tierra; y vosotros seréis para Mí un reino de sacerdotes y una nación santa" (Éx 19:3-6).

La promesa era: "Vosotros seréis para Mí un reino de sacerdotes y una nación santa". Israel iba a convertirse en una nación, pero no en cualquier nación. Una nueva religión y una nueva cultura estaban comenzando, y estas estaban relacionadas entre sí. Dios se reunió con el pueblo de Israel en el monte Sinaí para entregarle Su ley, la expresión escrita de Su voluntad tanto a la comunidad como a cada persona como individuo.[45]

En el idioma hebreo, las diez leyes morales no son llamadas "mandamientos" *(mitzvot)*, sino "palabras" *(dabar)*. Son las "diez palabras". Ellas fueron la base moral de la primera nación instituida por Dios. Fueron lo más importante para el pueblo de Israel, y continúan siéndolo para todos nosotros. Esto que acabamos de mencionar no representa

---

[44] A. W. Pink, *The Ten Commandments [Los Diez Mandamientos]* (Grand Rapids: Baker Books, 1994), 11.
[45] Tremper Longman y Raymond Dillard, *An Introduction to the Old Testament [Introducción al Antiguo Testamento]* (Grand Rapids: Zondervan, 2006), 75.

un sistema teonómico.[46] Sin embargo, estas leyes revelan la justicia y el carácter de Dios; muestran lo que es agradable a Dios y lo que trae bendición al ser humano.[47] Si las naciones legislaran de acuerdo con la ley moral de Dios, tendrían un curso más estable y serían más bendecidas que cuando abiertamente desechan y se burlan de aquello que Dios considera sagrado. Las leyes no pueden resolver los problemas de una sociedad ni crear una sociedad justa; pero las leyes que reflejan le ley moral de Dios informan, enseñan y sensibilizan la conciencia tanto de los creyentes como de los no creyentes.

Los propósitos de la ley

Luteranos y calvinistas concuerdan en que la ley de Dios cuenta con al menos tres propósitos.

El primer propósito (el más relacionado a este libro) de la ley es detener la maldad en la sociedad.[48] La ley representa el carácter de Dios y, por lo tanto, Su autoridad. El incrédulo puede responder con obediencia y conformidad externa a la ley de Dios debido a dos actos de benevolencia de parte de Dios: la ley de Dios escrita en el corazón del ser humano y la gracia común que le es dada. Es por esta razón que no todos han cometido adulterios, asesinatos o robos. La ley de Dios puede ser un freno para las acciones malvadas de los seres humanos, hasta cierto punto, al producir vergüenza y temor al castigo, como es evidente en las vidas de muchas personas que no conocen a Dios. Para que este propósito de la ley sea efectivo, las leyes de una nación tendrían que reflejar, de una forma u otra, los valores representados en los Diez

---

[46] Greg Bahnsen, "The Theonomic Reformed Approach to Law and Gospel" ["Enfoque teonómico reformado sobre la ley y el evangelio"], en Stanley Gundry (ed.), *Five views on Law and Gospel* [*Cinco puntos sobre la ley y el evangelio*] (Grand Rapids: Zondervan, 1999), 93-143.

[47] Longman y Dillard, *An Introduction to the Old Testament,* 75.

[48] Phillip Ryken, *Exodus* [*Éxodo*] (Wheaton, IL: Crossway Books, 2005), 538-540.

Mandamientos. Cuando los creyentes entienden su responsabilidad ante Dios, empiezan a ejercer el privilegio y la obligación de ser sal y luz. Aquellos que han nacido de nuevo y viven bajo la responsabilidad de Dios en la sociedad pueden y deben influenciar las leyes de las naciones por todos los medios posibles. Votar es una manera; aplicar la cosmovisión cristiana en distintos lugares y circunstancias de la sociedad es otra; hablar en la radio o en programas de televisión, participar en debates o acudir a audiencias públicas son otras maneras en las que los cristianos pueden continuar influenciando a su sociedad y a la promulgación de leyes que reflejen la ley moral de Dios. La ley no puede cambiar corazones, pero crea una influencia cristiana que puede ayudar a traer paz a la sociedad. Recordemos las palabras de Dios por medio del profeta Jeremías antes de que Israel fuera exiliado: "Y buscad el bienestar de la ciudad adonde os he desterrado, y rogad al Señor por ella; porque en su bienestar tendréis bienestar" (Jer 29:7).

Si los cristianos abandonan la sociedad al retirarse a sus "escondites" (sus iglesias, escuelas cristianas e instituciones cristianas), no quedará nadie en medio de la sociedad que hable de parte de Dios.[49] La ley de Dios debe ser enseñada, predicada, practicada y defendida dentro y fuera de nuestras iglesias. Tal vez Dios le conceda gracia a Su pueblo para crear un impacto en las leyes de la nación y afectar su bienestar. En este bienestar, los cristianos serán bendecidos, como lo dijo Dios a través de Jeremías.

En un tiempo, el aborto era ilegal e inmoral así como la eutanasia y la homosexualidad. Cuando esas eran las condiciones de las naciones, la sociedad disfrutaba de un mejor clima moral. Esto es evidenciado por algunos índices medibles sociales y médicos. Posterior a la aprobación del aborto en 1973,[50] el número de abortos aumentó considerablemente

---

[49] Charles Colson, *Who Speaks for God?* [*¿Quién habla por Dios?*] (Carol Streams, IL: Tyndale House, 1994).

[50] "Roe v. Wade 410 U.S. 113" (1973), recuperado en junio 25 de 2014 de http://supreme. justia.com/cases/federal/us/410/113 /case.html.

y con el tiempo esta acción abrió el camino en algunos países para la eutanasia. Tales prácticas son el resultado de la *desensibilización* de la población, lo que llevó a menospreciar la vida humana. Pero estas prácticas también contribuyen a una mayor desensibilización de las mismas personas.

Tanto el aborto como la eutanasia aumentaron simultáneamente con el incremento de suicidios en la sociedad americana. El Centro para el Control de Enfermedades (CDC) reportó un estudio llevado a cabo de 1999 a 2010, mostrando que las tasas de suicidio en edades de 35 a 64 años habían aumentado significativamente durante este periodo. La siguiente frase resume los hallazgos y emite una alerta: "El suicidio es un problema de salud pública que va en aumento. En el 2009 el número de muertes por suicidio sobrepasó las muertes por accidentes automovilísticos en Estados Unidos".[51] Junto con esta tragedia, ha habido un incremento en el número de muertes violentas. Solo los homicidios se cobran la vida de 16 mil personas por año, o 41 de ellas diariamente.[52] Estas prácticas representan una clara violación a la ley de Dios bajo leyes estatales y federales que aprueban lo que es moralmente incorrecto.

Si observamos otro aspecto de las prácticas pecaminosas, como por ejemplo la homosexualidad, nos encontramos con que Canadá reportó en 1997 que la expectativa de vida de una persona homosexual a sus 21 años era de ocho a veinte años menor que la del resto de la población; ¡esa era la misma expectativa de vida que había para la población

---

[51] Center for Disease Control and Prevention, "Suicide among Adults Aged 35-64 Years in the United States, 1999-2010" [Suicidio de adultos entre los 35 y los 64 años en Estados Unidos, de 1999 a 2010], en *Morbidity and Mortality Weekly Report 62* [*Informe semanal sobre enfermedad y mortandad 62*], no. 17 (2013), 321-325, recuperado en mayo 3 de 2013 de http://www.cdc.gov/mmwr/pdf/wk/mm6217.pdf

[52] Center for Disease Control and Prevention, "National Violent Death Reporting System" ["Informe de la base de datos del sistema sobre la muerte violenta en la nación"] recuperado en mayo 26 de 2014 de http://www.cdc.gov/violencePrevention/NVDRS/index.html.

general en 1871![53] Las prácticas médicas han mejorado desde entonces con el tratamiento del VIH, pero los homosexuales aún tienen una expectativa de vida menor a la de la mayoría de la población. También cuentan con una alta incidencia de enfermedades venéreas, suicidio, adicciones (50%), cáncer genital, cáncer anal y otras complicaciones.[54] Estos números nos dan una idea de la importancia de los mandamientos divinos. Dios entregó Sus Diez Mandamientos al pueblo de Israel para Su honra, pero también para proteger Su creación. Como dice el apóstol Santiago, esta es la ley de la libertad: mantiene a las personas libres de todos estos males si es tomada en cuenta (Stg 1:25).

Podríamos preguntar: "Si Dios colocó la ley natural (los Diez Mandamientos) en los corazones de los humanos, ¿porque tuvo la necesidad de entregárselos a Moisés en el monte Sinaí?". Pink nos da la respuesta: "Una vez que hemos modificado la ley natural escrita en nuestros corazones al punto de que ya no puede ser leída, le pareció bien a Dios transcribirla en las Escrituras —y en los Diez Mandamientos— para que contáramos con un resumen de las mismas".[55]

Dios entregó Su ley, lo que lo convierte en legislador, "el único Legislador", como lo llama Carl Henry.[56] Moisés fue un mediador, y los israelitas fueron los receptores. Cada ley refleja el carácter de quien la otorga, y los Diez Mandamientos no son diferentes. Reflejan la sabiduría infinita de Dios, Su carácter santo, Su justicia perfecta y Su estándar absoluto de justicia. El carácter moral detrás de estas leyes las hace invariables, y de hecho lo son. Las reglas pueden cambiar, y

---

[53] R. S. Hoggs *et al.*, "Modeling the Impact of HIV Disease on Mortality in Gay and Bisexual Men" ["Ajustando el Impacto del VIH en la mortandad del hombre gay y bisexual], en *International Journal of Epidemiology* [*Revista internacional de epidemiología*], no. 26 (1997), 657-661

[54] John Hughes, "Review of 1000 Studies Published" ["Revisión de 1000 publicaciones"], en *Journal of Human Sexuality and Disability* [*Revista de sexualidad e impotencia humanas*], no. 24 (2006), 195-205.

[55] Pink, *The Ten Commandments*, 5.

[56] Carl Henry, *Twilight of a Great Civilization* [*El ocaso de una gran civilización*] (Wheaton, IL: Crossway Books, 1988), 147.

cambian, pero la verdad es eterna, universal, invariable y transcultural.[57] La verdad es descubierta, no creada ni inventada, al igual que la ley de Dios.

El segundo propósito de la ley es llevar a los pecadores hacia Cristo cuando no pueden cumplir la ley; y el tercero es ayudar a los creyentes a ser santificados. Algunos cambiarían el orden entre el primer propósito y el segundo.[58]

Cuando el evangelio es predicado en las naciones y las personas se acercan a conocer más acerca de Cristo, su relación con la ley cambia. Desde ese momento ya no están bajo la ley, pero sí desean obedecer la ley por amor a Cristo. Tomás Watson lo explica de la siguiente manera: "Aunque los cristianos no están bajo el poder amenazante de la ley, sí lo están bajo su poder dominante".[59] Pablo nos dice que no estamos bajo la ley en el Nuevo Testamento (Ro 6). Esta expresión ha causado mucha confusión e incluso ha llevado a pensar que el Antiguo Testamento (incluyendo los Diez Mandamientos) no aplica en la vida del creyente actual. Esa es una comprensión incompleta de la ley.[60] Como dice Pablo:

> Porque el pecado no tendrá dominio sobre vosotros, pues no estáis bajo la ley sino bajo la gracia. ¿Entonces qué? ¿Pecaremos porque no estamos bajo la ley, sino bajo la gracia? ¡De ningún modo! ¿No sabéis que cuando os presentáis a alguno como esclavos para obedecerle, sois esclavos de aquel a quien obedecéis, ya sea del pecado para muerte, o de la obediencia para justicia? Pero gracias a Dios, que aunque erais esclavos del pecado, os

---

[57] Norman Geisler y Frank Turek, *I Don't Have Enough Faith to Be an Atheist* [*No tengo suficiente fe para ser ateo*] (Wheaton, IL: Crossway Books, 2004), 36-38.

[58] John Frame, *Systematic Theology* [*Teología sistemática*] (Phillipsburg, NJ: P&R Publishing Company, 2013), 97.

[59] Thomas Watson, *The Ten Commandments* [*Los Diez Mandamientos*] (Edinburgh: Banner of Truth, 1965), 44.

[60] Ryken, *Exodus*, 542-44.

hicisteis obedientes de corazón a aquella forma de enseñanza a la que fuisteis entregados; y habiendo sido libertados del pecado, os habéis hecho siervos de la justicia (Ro 6:14-18).

La obediencia de la que habla Pablo es a lo que Calvino se refería con el tercer uso de la ley: quien cree en Cristo tiene una nueva habilidad para seguir la ley, con la que no contábamos antes de conocer a Cristo.[61]

Por último, podemos decir que la ley busca promover el amor a Dios y a los demás. Este propósito queda claro en la división de los Diez Mandamientos. Los primeros cuatro nos ayudan a cultivar nuestro amor por Dios, y los siguientes seis nos ayudan a desarrollar amor por los demás. Además, los primeros cuatro regulan nuestra relación con Dios (adoración), mientras los siguientes seis regulan nuestra relación con los demás (vida civil). En la sociedad no solo vivimos en relación con Dios, sino en relación con otros. Aun aquí podemos ver la importancia de la ley divina en la vida de cualquier país. Cristo lo explica de la siguiente manera:

> "Amarás al Señor tu Dios con todo tu corazón, con toda tu alma y con toda tu mente". Este es el grande y el primer mandamiento. Y el segundo es semejante a este: "Amarás a tu prójimo como a ti mismo". De estos dos mandamientos dependen toda la ley y los profetas (Mt 22:36-40).

Conclusión

En este capítulo iniciamos mostrando cómo Dios creó el universo por medio del poder de Su palabra, un poder que no solo es fuerza bruta,

---

[61] Calvin, *The Institutes of the Christian Religion*, 218.

sino una expresión de Dios, de lo que Él es y desea. Esta verdad teológica explica el orden de la creación en Génesis 1 y 2. Dios creó y puso a Adán y Eva bajo Su autoridad. Desde el inicio, Dios se propuso mantener Su creación con el mismo poder con el que creó el universo, con Su palabra (Heb 1:3). En un principio, la creación cobró orden por medio de la palabra activa y eficaz de Dios, pero el caos y el desorden llegaron como consecuencia de la violación a Sus mandamientos.

Dios puso Su ley moral en la creación, y colocó esa misma ley en la conciencia del ser humano. Por lo tanto, aun después de la caída la ley puede condenar al ser humano, pero también puede ejercer una restricción sobre sus acciones pecaminosas por el poder intrínseco de la ley moral de Dios actuando en su conciencia.

También explicamos cómo Dios formó las naciones y cómo Pablo dice que Dios formó esas naciones de un hombre, y les estableció los límites de su habitación (Hch 17:26). Pero conforme pasaba el tiempo, Dios escogió una nación (Israel) y empezó a moldearla como ejemplo para el resto del mundo. No es de extrañarse que Dios empezara Su "proyecto" al darles Su ley en el Monte Sinaí. Esta ley no podía salvarlos, pero sí les revelaba el carácter de Dios, y también les mostraba lo que le agrada y desagrada. Además, esta ley sirvió para detener la maldad en Su pueblo.

Si como creyentes tomáramos en cuenta la responsabilidad que Dios nos ha dado de ser sal y luz, influenciaríamos las leyes de las naciones para que estas reflejaran la ley moral de Dios. Esto es una bendición. Santiago llama a esta ley moral la ley de libertad (Stg 1:25) porque nos libra del pecado. Las leyes de Dios traen paz y estabilidad a las naciones, y no están alejadas de influenciar de la moral cristiana en la comunidad. Las naciones que no tiene la ley moral de Dios son naciones sin guía, las cuales están propensas a caer en la perdición.

Dios define Su ley como superior a los estatutos de cualquier nación del mundo (Dt 4:5-8). Hay sabiduría en Su palabra, y cuando esta se obedece, previene las peores consecuencias que una sociedad puede enfrentar. Hoy enfrentamos esas consecuencias por una razón: nos hemos apartado de la ley moral de Dios. Se ha dicho que en un tiempo las sociedades de occidente tenían una conciencia cristiana, aun cuando el corazón de sus ciudadanos no se había convertido. Pero hoy la influencia de la Palabra de Dios ha sido apartada, y no contamos con la cosmovisión cristiana del mundo que dicte nuestras leyes.

El siguiente capítulo demostrará cómo la predicación del evangelio empezó a transformar naciones más allá de la comunidad que recibió los Diez Mandamientos y cómo el mensaje de Cristo continúa produciendo los mismos cambios a su paso por Jerusalén, Judea, Samaria y las naciones de los gentiles.

3

LA PROPAGACIÓN
DE LA PALABRA
en el libro de Hechos

E l libro de Hechos nos brinda tanto una ayuda especial como un panorama del poder de la Palabra de Dios para transformar vidas y sociedades. En él encontramos el nacimiento de la iglesia, la expansión de la misión cristiana y el martirio de los primeros misioneros, todo sustentado por el poder de la Palabra.[1] La narración de Lucas cubre los primeros treinta años de la iglesia.[2] En este periodo de tiempo el evangelio fue predicado, iglesias fueron plantadas, vidas comenzaron a cambiar y, pronto, comunidades enteras también fueron transformadas. Robert Louis Wilken expresó esto muy bien en uno de sus libros:

> El nacimiento del cristianismo trajo una de las revoluciones más profundas que el mundo ha conocido. [...] El cristianismo es una religión formadora de culturas, y el crecimiento de la comunidad

---

[1] David Peterson, *The Acts of the Apostles* [*Hechos de los Apóstoles*], de *The Pillar New Testament Commentary* [*Comentario pilar del Nuevo Testamento*] (Grand Rapids: W.B. Eerdmans, 2009), 32-35.

[2] Lucas ha sido aceptado unánimemente como el autor de Hechos por la mayoría de los historiadores antiguos. Clinton Arnold, *Acts* [*Hechos*], de Clinton Arnold (ed.), *Zondervan Background New Testament Commentary, vol. 2* [*Comentario al Nuevo Testamento de Zondervan*] (Grand Rapids: Zondervan, 2002), 220.

cristiana llevó a formar las culturas del mundo antiguo así como una nueva civilización o, más bien, nuevas civilizaciones.[3]

El libro de Hechos es la continuación de los Evangelios, especialmente del Evangelio de Lucas.[4] Cada Evangelio termina más o menos de la siguiente manera: Mateo termina con la resurrección (Mt 28:1-10); Marcos, con la ascensión (Mr 16:19); Lucas, con la promesa del Espíritu Santo (Lc 24:49); Juan, con la mención de la segunda venida de Cristo (Jn 21:22).

Las conclusiones de los Evangelios encajan bien con el comienzo del libro de Hechos (Hch 1:9-11), en donde encontramos al Cristo resucitado (final de Mateo) ascendiendo al cielo (final de Marcos), después de anunciar la venida del Espíritu Santo (final de Lucas), seguido de la aparición de dos hombres en vestiduras blancas que afirmaron categóricamente que ese Cristo que vieron ascender es el mismo que verían regresar (final de Juan). El mensaje de la resurrección de Cristo después de haber sido crucificado se convirtió en la columna vertebral de la predicación de la iglesia.[5] De acuerdo con el apóstol Pablo, esos dos eventos (la crucifixión y la resurrección) son la esencia del evangelio:

Ahora os hago saber, hermanos, el evangelio que os prediqué, el cual también recibisteis, en el cual también estáis firmes, por el cual también sois salvos, si retenéis la palabra que os prediqué, a no ser que hayáis creído en vano. Porque yo os entregué en primer lugar lo mismo que recibí: que Cristo murió por nuestros pecados, conforme a las Escrituras; que fue sepultado y que resucitó al tercer día, conforme a las Escrituras (1Co 15:1-4).

---

[3] Robert Louis Wilkens, *The First Thousand Years, A Global History of Christianity* [*Los primeros mil años, una historia global del cristianismo*], (New Haven, CT: Yale University Press, 2012), 1.
[4] R. C. Sproul, *Acts* [*Hechos*], (Wheaton, IL: Crossway, 2010), 15.
[5] Gary Habermas, *The Risen Jesus and Future Hope* [*El Jesús resucitado y la esperanza futura*] (Lanham, MD: Rowman & Littlefield Publishers, 2003).

Este evangelio, y ningún otro, "es el poder de Dios para la salvación de todo el que cree; del judío primeramente y también del griego" (Ro 1:16). El poder de la Palabra para transformar a una nación es la influencia transformadora del evangelio para cambiar personas y comunidades. El evangelio es capaz de iluminar las mentes oscuras de los incrédulos (2Co 4:4), de convertir corazones de piedra en corazones de carne (Ez 11:19) y de liberar a la voluntad de la esclavitud del pecado (Ro 6:20).[6] Si este mensaje es distorsionado o escondido, los efectos de la predicación de la Palabra no se verán en la iglesia. Sería una forma de avergonzarse del evangelio. Y eso es lo que ha sucedido durante muchos años en muchas de las iglesias, con sus consecuencias naturales. Pablo no se avergonzaba del evangelio, a pesar de haber sido ignorado en Atenas (Hch 17:32), de haber escapado de Berea (Hch 17:10-15), de haber recibido oposición en Corinto (Hch 18:6), de haber sido encarcelado en Filipo (Hch 16:22-24), de haber sido apedreado y dado por muerto en Listra (Hch 14:19-23) y de haber sido perseguido en Tesalónica (Hch 17:5-9).

La predicación de la palabra en la iglesia primitiva

La proclamación del evangelio puso a los apóstoles en una posición de choque contra la cultura grecorromana. Los martirios y la persecución de la iglesia primitiva fueron el resultado de ese choque.[7] El libro de Hechos nos permite ver el comienzo de esa lucha que continúa hasta hoy. Mientras la Palabra se expandía, la gente comenzó a cambiar: sacerdotes judíos se convirtieron al cristianismo (Hch 6:7); un procónsul creyó (Hch 13:12); un carcelero junto con su familia fueron bautizados (Hch 16:33); hombres de negocios (Hch 16:14) y hombres griegos

---

[6] Mike Bullmore, "The Gospel and Scripture" ["El evangelio y la Escritura"], en D. A. Carson y Timothy Keller (eds.), *The Gospel as Center* [*El evangelio como el centro*] (Wheaton, IL: Crossway, 2012), 41-54.

[7] Geoffrey Bromiley (ed.), *The International Standard Bible Encyclopedia, vol. 3* [*La enciclopedia estándar internacional*] (Grand Rapids: W.B. Eerdmans Publishing Company, 1986).

prominentes creyeron (Hch 17:12); estilos de vida fueron transformados (Hch 19:19); la Palabra incluso llegó hasta la capital del Imperio Romano (Hch 28:16). Pero estos efectos continuaron viéndose durante los siguientes años en las vidas de muchas personas y naciones. Como G.R. Evans escribió:

> Las enseñanzas de Jesús, que Él nunca escribió de Su propia mano, sobrevivieron y fueron llevadas a través del mundo romano, transformando no solo la forma de pensar, sino también la estructura de la sociedad en todo el mundo cristiano, el cual era, hasta los tiempos relativamente modernos, un fenómeno esencialmente europeo.[8]

La cosmovisión cristiana estaba invadiendo la cultura de ese tiempo; estaba transformando la sociedad. Lento pero seguro, los valores de la cultura pagana estaban siendo reemplazados.[9]

La iglesia en Jerusalén (Hechos 1:1-6; 7)

El libro de Hechos inicia con la promesa de Jesús a los discípulos de que recibirían poder de lo alto (el Espíritu Santo) antes de salir de Jerusalén para ser testigos en "toda Judea y Samaria, y hasta los confines de la tierra" (Hch 1:4-8). Los discípulos recibieron la promesa y después vieron a Jesús ascender al cielo. Ellos recibieron la promesa de Su venida a través de dos seres angelicales, después de lo cual regresaron a Jerusalén. Luego de su regreso, eligieron a Matías, el sustituto de Judas Iscariote.

Como podía anticiparse, la predicación del evangelio de Cristo llevó al establecimiento de nuevas iglesias. Estas iglesias se convirtieron

---

[8] G. R. Evans, *The History of Christian Europe* [*La historia de la Europa cristiana*] (Oxford: Lion Hudson, 2008), 7.
[9] Evans, *The History of Christian Europe*, 17-49.

en pilares y defensoras de la verdad desde el primer siglo en adelante, facilitando la transformación de las sociedades en donde se plantaron esas iglesias. Todo esto comenzó un día cuando Pedro, bajo la unción del Espíritu Santo, predicó el primer sermón apostólico expositivo (Hch 2). Dios usó la predicación de Pedro para abrir el corazón de muchos que escucharon la Palabra. Dios se movió poderosamente: "los que habían recibido su palabra [la de Pedro] fueron bautizados; y se añadieron aquel día como tres mil almas" (Hch 2:41). Esos tres mil nuevos creyentes en esa pequeña comunidad tendrían un gran impacto.

¿Qué predicó Pedro que fue capaz de producir esta conversión masiva? Predicó la Palabra (Hch 2:16-21); citó varios pasajes del Antiguo Testamento (Joel 2:25-28; Sal 16:8-11; 2:28-32). Habló de la salvación ofrecida por medio de Cristo (Hch 2:21), de la cruz (Hch 2:22-23) y de la resurrección (Hch 2:24, 27). Confrontó a la gente con su pecado (Hch 2:23, 36) y presentó el señorío de Cristo (Hch 2:36).

Kent Hughes, en su *Comentario al libro de Hechos*, expone:

La predicación de Pedro estaba llena de Cristo —de Su encarnación, Su crucifixión, Su resurrección y Su ascensión. Es por eso que el sermón fue tan grandioso. Pedro concluyó en el verso 36: "Sepa, pues, ciertísimamente toda la casa de Israel, que a este Jesús a quien vosotros crucificasteis, Dios le ha hecho Señor y Cristo". Jesús es llamado "Señor", un título que tenía un gran significado para los gentiles. Y lo llama "Mesías", un título que tenía gran significado para los judíos.[10]

Pedro no se avergonzó del evangelio ni de su Autor. Cristo ya no estaba presente, pero Sus enseñanzas nunca quedaron en el olvido. Su persona permanecería en el centro de la fe por siempre. Su victoria

---

[10] Kent Hughes, *Acts: The Church Afire* [*Hechos: La iglesia ardiente*] (Wheaton, IL: Crossway Books, 1996), 42.

sobre la muerte dio el valor a los apóstoles para seguir adelante. James Montgomery Boice, en su *Comentario al libro de los Hechos* dice: "La predicación de Pedro era valiente. Digo valiente porque, después de todo, el sermón fue predicado en Jerusalén y fue en Jerusalén donde el Señor Jesucristo fue crucificado. Pedro estaba predicando a las mismas personas que gritaron, unas semanas atrás: '¡Crucifícale! ¡Crucifícale!'".[11]

Tres mil personas nacieron de nuevo ese día. Esta fue una obra de Dios de principio a fin. Notemos el énfasis en la frase "y el Señor añadía cada día al número de ellos los que iban siendo salvos" (Hch 2:47). Los predicadores humanos no salvan a las personas; lo hace el Señor. Los predicadores humanos no tienen el poder de regenerar el alma del incrédulo. Como Pablo dice: "la fe viene del oír, y el oír, por la palabra de Cristo" (Ro 10:17). Cuanto más se centre la iglesia en Cristo, más posibilidades tiene de crecer. El problema con la iglesia contemporánea, muy frecuentemente, es que está muy centrada en los seres humanos. Dios no trabajará para la gloria del ser humano porque no se la merece y porque ninguno, fuera de Su Hijo, pagó para comprar a la iglesia.

Características de los líderes de la iglesia primitiva

Sin duda, Dios ha inspirado Su Palabra con poder para cambiar el corazón y la mente del ser humano. Pero la Palabra de Dios se predica por medio de personas a las que el apóstol Pablo llama "embajadores", los cuales gritan a los perdidos: "¡Reconciliaos con Dios!" (2Co 5:20). Esos embajadores deben ser ungidos por Dios para recoger la cosecha; Él necesita enviar obreros a Su mies (Mt 9:38). Parte del problema en la actualidad es que hay personas predicando la Palabra de Dios que nunca fueron enviadas.[12] En la iglesia primitiva vemos a hombres muy

---

[11] James Montgomery Boice, *Acts: An Expositional Commentary* [*Hechos: Un comentario expositivo*] (Grand Rapids: Baker Books, 1997), 53.

[12] James Montgomery Boice, *The Gospel of Matthew* [*El Evangelio de Mateo*] (Grand Rapids: Baker Books), 165.

diferentes, sin mucha educación, pero con mucha unción. Las siguientes son algunas de las características de aquellos obreros.

En primer lugar, eran personas llenas del Espíritu Santo (Hch 4:8). Sin la llenura del Espíritu Santo de Dios, los líderes de la iglesia nunca realizarán su trabajo efectivamente. Refiriéndose a Pedro, Robert H. Gundry comenta que "el Espíritu capacitó a un antiguo pescador para que hablara valientemente, incluso ante la corte suprema".[13] Cuando Dios capacita a alguien, no ignora la autoridad humana, sino que ve la autoridad divina como soberana y la autoridad terrenal como sujeta a la celestial. Como resultado de ser llenos del Espíritu Santo, estos hombres eran valientes; no se intimidaban (Hch 4:10).

En segundo lugar, eran personas que no tenían miedo de presentar la singularidad de la fe cristiana: "Y en ningún otro hay salvación, porque no hay otro nombre bajo el cielo dado a los hombres, en el cual podamos ser salvos" (Hch 4:12). La popularidad no les importaba. "¡Es Cristo o nada! —escribió Kent Hughes— ¡Cristo o el juicio! ¡Cristo o el infierno! ¡Qué maravillosa declaración! ¡Y Pedro apenas comenzaba!".[14]

En tercer lugar, eran personas tan transformadas que los demás se percataban y reconocían que habían estado con Jesús (Hch 4:13). Estos líderes no tenían otra explicación para su cambio; ciertamente no habían pasado por un entrenamiento académico, sino por uno mesiánico.

En cuarto lugar, Pedro y Juan eran modelos de lo que significa obedecer a Dios antes que a los seres humanos (Hch 4:15-19). Muchos líderes han cedido ante la presión de las congregaciones, de la sociedad y, ahora, de las regulaciones gubernamentales. Dios no honrará la predicación de Su Palabra cuando hay predicadores que negocian este estándar.[15] Este no era el caso de Pedro ni de Juan. La iglesia, en la actualidad, ha go-

---

[13] Robert Gundry, *Commentary on Acts* [*Comentario a Hechos*], (Grand Rapids: Baker Academic, 2010), 818 en versión electrónica.

[14] Hughes, *Acts*, 62

[15] John MacArthur, *The Book on Leadership* [*El libro sobre el liderazgo*] (Nashville: Nelson Books, 2004), 161-167.

zado de un clima favorable por mucho tiempo, pero necesita prepararse para enfrentar oposición si quiere recibir la bendición de Dios una vez más. La iglesia en el libro de Hechos entendía muy bien el significado de la Gran Comisión. "Cuando la autoridad establecida se oponía a la autoridad de Dios —convirtiéndose, por tanto, en autoridad demoníaca— los creyentes en Jesús sabían en dónde estaban sus prioridades y juzgaban todas las formas y funciones religiosas desde una perspectiva cristocéntrica".[16]

En quinto lugar, la defensa que estas personas hacían de la fe provenía de una experiencia personal con el Dios vivo. Fue por eso que dijeron: "...porque nosotros no podemos dejar de decir lo que hemos visto y oído" (Hch 4:20). Ellos tendrían que ser mentirosos para decir otra cosa. Fueron testigos de las enseñanzas, milagros, crucifixión y resurrección de Jesús.[17]

En el siguiente capítulo, Lucas hace mención del segundo mensaje apostólico de Pedro (Hch 3:12-26) y de nuevo allí observamos un patrón similar: Pedro cambió el enfoque del ser humano hacia Dios (Hch 3:12-13); predicó la cruz y la resurrección (Hch 3:14-15); llamó a la gente al arrepentimiento (Hch 3:19-20); citó las profecías del Antiguo Testamento en repetidas ocasiones y mostró el cumplimiento de ellas (Hch 3:21-26). Luego, la Palabra comenzó a crecer rápida y poderosamente como resultado de esta clase de predicación. David G. Peterson escribió:

El arrepentimiento, es decir, volverse a Dios, es una acción humana que, discernida teológicamente, es también una acción divina en los individuos y las sociedades. Es una bendición del nuevo pacto para los judíos primeramente, pero también para los gentiles (Hch 5:31; 11:18; 14:15; 26:17-18). En este punto

---

[16] Richard Longnecker, *Acts* [*Hechos*], de Tremper Longman y David Garland (eds.), *The Expositor's Bible Commentary*, vol. 1 [*El comentario bíblico del expositor*], (Grand Rapids: Zondervan, 2007), 777.

[17] William MacDonald, *Believer's Bible Commentary* [*Comentario bíblico de los creyentes*] (Nashville: Thomas Nelson, 1989), 1596.

de la narrativa, Pedro claramente anticipa que la salvación mesiánica sería extendida a otras naciones.[18]

Pronto, la iglesia creció de tres mil personas a cinco mil hombres (Hch 4:4), lo que significa que probablemente la iglesia incluía hasta diez mil personas en total, contando a hombres, mujeres y niños. Esto es sorprendente, considerando que la población estimada de Jerusalén en ese tiempo era entre 25 a 80 mil personas. La predicación de la Palabra era apoyada por una comunidad devota a las enseñanzas de los apóstoles, unida en un solo corazón, participando en el partimiento del pan, orando y adorando continuamente (Hch 2:42-47).[19] Actualmente existe interés progresivo en plantar "iglesias en hogares", asumiendo que el modelo de la "iglesia en hogar" fue el elemento clave para propagar la fe en el primer siglo. Este argumento ignora los elementos más importantes de esas comunidades: su devoción a las enseñanzas de las Escrituras, su sentido de unidad hasta el punto de vender sus posesiones para ayudar a otros, su íntima comunión y su tiempo de oración. Eckhard J. Schnabel hace esta puntual observación en su *Comentario al libro de Hechos*:

> Una iglesia auténtica es una iglesia que continúa creciendo. El resumen de Lucas (Hch 2:42-47) es precedido por una declaración sobre la conversión masiva en Jerusalén (Hch 2:41) y termina con el comentario de que la iglesia de Jerusalén continuó creciendo a un ritmo regular (Hch 2:47). El crecimiento de la iglesia sucede cuando ella tiene sus prioridades correctamente establecidas. No se trata de una estrategia ni de un método, sino

---

[18] Peterson, *The Acts of the Apostles*, 185.
[19] Eckhard Schnabel, *Acts* [Hechos], de *Zondervan Exegetical Commentary on the New Testament* [*Comentario exegético del Nuevo Testamento de Zondervan*], (Grand Rapids: Zondervan, 2012), 187.

de contar con el poder de Dios. Las iglesias crecen cuando el evangelio es proclamado.[20]

Las iglesias en hogares fueron plantadas no como un modelo, sino como una necesidad en esa época. La fe no era reconocida oficialmente aún y, en muchas instancias, representaba a un grupo perseguido. El desarrollo de la iglesia se ve en la narrativa como una comunidad que crece en fe, que ora intensamente (Hch 4:23-31), que goza de la vida comunitaria (Hch 4:32-5:11) y que experimenta grandes milagros y sanidades (Hch 5:12-16). Pero también comienza a experimentar persecución (Hch 5:17-42), así como tensiones internas entre cristianos, porque las viudas de unos eran desatendidas en la distribución de los alimentos.[21] Nuevos líderes, llenos del Espíritu, fueron escogidos, y el problema se resolvió. Entre tanto, la expansión de la Palabra era imparable, como Lucas lo resume: "Y la palabra de Dios crecía, y el número de los discípulos se multiplicaba en gran manera en Jerusalén, y muchos de los sacerdotes obedecían a la fe". (Hch 6:7). Notemos que Lucas nos señala el crecimiento de la iglesia al utilizar la frase "la palabra de Dios crecía". La Palabra es descrita con atributos personales, ya que la Palabra dirigía su propio crecimiento.[22] Schnabel hace varias observaciones dignas de mencionar respecto a este versículo:

1. La "palabra de Dios" (ὁ λόγος τοῦ θεοῦ) *crecía* o *continuaba creciendo*. El tiempo imperfecto, en modo indicativo, señala que el crecimiento continuó por un periodo largo de tiempo.
2. Y el "número" (ὁ ἀριθμός) de los discípulos *aumentó* (*se multiplicaba*, LBLA) grandemente en Jerusalén. El tiempo imperfecto del verbo *aumentar* (o *multiplicar*) sugiere un crecimiento continuo.

---

[20] Schnabel, *Acts*, 187.
[21] Gundry, *Commentary on Acts*, 892 en versión electrónica.
[22] Darrell Bock, *Acts* [*Hechos*], de *Baker Exegetical Commentary of the New Testament* [*Comentario exegético del Nuevo Testamento de Baker*], (Grand Rapids: Baker Books, 2007), 264.

3. Muchos de los sacerdotes "obedecían a la fe". El tiempo imperfecto en el que se encuentra el verbo *obedecían* (ὑπήκουον), en modo indicativo, señala que estas conversiones en verdad eran duraderas y no simples destellos de interés en la posibilidad de que Jesús fuera el Mesías.[23]

La iglesia no puede multiplicarse si la influencia de la Palabra no crece. Es la predicación de la Palabra lo que incrementa el tamaño de la iglesia y, por tanto, el tamaño del reino de Dios en la tierra. La iglesia no crece por estrategias humanas; nuestra metodología puede incrementar el número de personas que asisten a las iglesias, pero el número de discípulos verdaderos depende de la predicación de la Palabra.[24]

Hechos 6:7 señala el fin de la primera fase de la expansión de la Palabra en Jerusalén. Que muchos sacerdotes obedecieran a la fe ciertamente provocaría una alarma significativa en las autoridades.[25] Sin duda serían una influencia importante. Jerusalén nunca sería la misma. La ciudad veía por primera vez una "nueva religión" (el cristianismo) derribando a la "antigua religión" (el judaísmo). En este período inicial, todo tenía matices judíos: los sermones, el tipo de oposición, la asociación con el templo y las sinagogas, la gente que llevaba el mensaje (los apóstoles) y el lugar que estaba siendo impactado (Jerusalén).

Hechos 5:28ª dice: "Os dimos órdenes estrictas de no continuar enseñando en este nombre, y he aquí, habéis llenado a Jerusalén con vuestras enseñanzas". En el idioma original, esta expresión es más enérgica de lo que aparenta en el español. Darrel L. Bock declara, en su *Comentario al libro de Hechos*, que "el pretérito perfecto aquí es usado con una fuerza extensiva o consumativa: Jerusalén era como una copa que ahora estaba rebosando con su enseñanza".[26] Esta era una clara

---

[23] Schnabel, *Acts*, 335-36.
[24] Derek Thomas, *Acts* [*Hechos*], (Phillipsburg, NJ: P & R Publishing, 2011), 162-163.
[25] Bock, *Acts*, 265.
[26] Bock, *Acts*, 246.

evidencia de que el favor de Dios estaba sobre ellos y de que la Palabra estaba avanzando rápidamente cambiando vidas y transformando el principal centro judío: Jerusalén.[27]

Imagina lo que pasaría si los cristianos llenaran sus ciudades con el mensaje de Cristo. Quizás no estaríamos como estamos. La iglesia es mucho más grande en la actualidad; está mejor equipada y es más rica que en el primer siglo. Pero, de muchas formas, es menos efectiva. Y la razón es que la Palabra no está siendo predicada lo suficiente. Nuestros medios sociales pueden acercarnos a un gran número de personas, pero no a sus corazones. La información compartida a través de esos canales tiene la capacidad de cambiar la forma de pensar de las personas, pero lo único que tiene poder para cambiar el corazón humano es el evangelio, el verdadero evangelio. Algo similar al evangelio no es el evangelio.

La iglesia en Judea, Galilea Y Samaria (Hechos 6:8-9:31)

La narrativa de la iglesia primitiva en esta porción del libro de Hechos está marcada por cuatro eventos significativos. Estos eventos están relacionados con la expansión del cristianismo como consecuencia de la predicación de la Palabra de Dios: 1) El martirio de Esteban (Hch 6:8-7:60), 2) el comienzo de la persecución (Hch 8:1-3), 3) la evangelización de Samaria (Hch 8:4-40) y 4) la conversión de Pablo (Hch 9:1-43).

El martirio de Esteban

Esteban era uno de los siete hombres llenos del Espíritu que fueron seleccionados al comienzo del capítulo 6 de Hechos para ayudar a los apóstoles en el servicio de las mesas. Era un hombre lleno de gracia y poder, que fue usado por Dios para hacer grandes maravillas (Hch 6:8).

---

[27] Robert Gundry, *Commentary on the New Testament* [*Comentario al Nuevo Testamento*], (Peabody, MA: Hendrickson Publishers, 2010), 483.

Un día, unos hombres lo acusaron falsamente. Las falsas acusaciones siempre han sido parte de la estrategia del diablo para desacreditar al pueblo de Dios,[28] especialmente a los predicadores de la Palabra.[29] Esteban fue lleno del Espíritu para responder a sus detractores y al público en general con una poderosa exposición de la Palabra de Dios. Citó fragmentos de Génesis (7:2-16), Éxodo, Levítico (7:17-41), Números (7:42-44), Josué, 1 Samuel (7:45), 2 Samuel (7:46-47) e Isaías (7:48-50). Este extenso pero claro mensaje de Esteban trajo convicción a los corazones de sus oyentes, pero no conversión: "Al oír esto, se sintieron profundamente ofendidos, y crujían los dientes contra él" (Hch 7:54). A pesar de que muchos de los oyentes de Esteban no se convirtieron al cristianismo después de escuchar su mensaje, los corazones de ellos fueron atravesados por el poder de la Palabra. Su rebelión hizo endurecer sus corazones, y esta es una verdad que podemos observar en la historia de la redención vez tras vez. La Palabra a veces convierte el corazón; otras veces trae convicción; y aún, otras veces, endurece el corazón de quien la escucha como parte del juicio de Dios (Is 6).[30]

Esteban fue apedreado hasta la muerte. Este fue el comienzo de la persecución, pero también fue el primer destello de la evangelización del Imperio Romano. Era una luz muy tenue, pero luz al fin. Saulo aprobó la muerte de Esteban, pero su martirio no fue en vano, como lo demuestran los siguientes capítulos.[31]

El inicio de la persecución de la iglesia

El capítulo 8 de Hechos comienza con las siguientes palabras:

---

[28] Peterson, *The Acts of the Apostles*, 238-44.
[29] Para más información sobre este tema lee Martin Murphy, *The Church: The First Thirty Years* [*La iglesia: los primeros treinta años*] (Chipley, FL: Theocentric Publishing Group, 2013), versión electrónica.
[30] Sproul, *Acts*, 133-34.
[31] Longenecker, *Acts*, 834

Y Saulo estaba de completo acuerdo con ellos en su muerte. En aquel día se desató una gran persecución en contra de la iglesia en Jerusalén, y todos fueron esparcidos por las regiones de Judea y Samaria, excepto los apóstoles. Y algunos hombres piadosos sepultaron a Esteban, y lloraron a gran voz por él. Pero Saulo hacía estragos en la iglesia entrando de casa en casa, y arrastrando a hombres y mujeres, los echaba en la cárcel (Hch 8:1-3).

Ahora comenzamos a ver que la persecución no iba dirigida contra una persona, sino contra la iglesia como institución. En su narrativa, Lucas reconoce que el evangelio ya no es posesión solo de una persona aquí y allá, sino que el mismo evangelio había dado nacimiento a una nueva entidad llamada iglesia. Esta es la segunda vez (Hch 8:3) que la palabra "iglesia" es utilizada por Lucas. La primera apareció en Hechos 5:11, después de las muertes de Ananías y Safira.

Hasta este punto, la iglesia solo se había establecido en Jerusalén, como el texto especifica; pero parece que la persecución fue tan severa que todos, excepto los apóstoles, fueron forzados a dejar la ciudad. Al menos esto es lo que quiere dejarnos ver Lucas en el pasaje. Parece que cientos, quizá miles, dejaron Jerusalén. Ahora bien, la observación más importante no fue que muchos huyeron, sino adónde fueron y qué hicieron. Ellos fueron a Judea y a Samaria para predicar la palabra en cumplimiento al mandamiento de Cristo (Hch 1:8).[32]

En ese momento Cristo se preparaba para ascender al Padre, pero antes instruyó a Sus discípulos acerca de cómo deberían llevar a cabo la evangelización después de haber recibido el poder del Espíritu. Ellos deberían predicar el mensaje en Jerusalén primero, después en Judea y Samaria, y por último hasta los confines del mundo.

---

[32] Gundry, *Commentary on the New Testament*, 494.

Quizá los discípulos de Cristo estaban demasiado cómodos en Jerusalén. Estar cerca de lo familiar siempre nos hace sentir "seguros". Quizás no habían entendido bien la Gran Comisión; tal vez no pensaban que los samaritanos fueran dignos de recibir el evangelio.[33] No es claro qué estaba pasando por sus mentes; frecuentemente esta es la forma en la que se sienten muchos en nuestra generación y nosotros no somos muy diferentes a ellos. Por tanto, algo tenía que suceder, y la persecución fue, al parecer, el instrumento que Dios escogió para esparcir a Sus discípulos y para extender Su evangelio. La persecución siempre ha sido un método doloroso pero efectivo para expandir el reino de Dios: obliga a los creyentes a ir a lugares que nunca irían y, de esos creyentes, lleva a los que aparentan ser los menos indicados a esos lugares. Los apóstoles fueron los únicos que no dejaron Jerusalén y eran los más calificados. La persecución envía a un gran número de potenciales "evangelistas" que llevan el mensaje con ellos.[34]

La gente preguntaría a aquellos que son perseguidos: "¿Por qué estás aquí? ¿Por qué huyes?". Al proveer respuestas para estas sencillas preguntas estarían, sin percatarse, testificando de su fe.

La persecución no es el método preferido para evangelizar, pero siempre ha funcionado. En tiempos modernos, un buen ejemplo de esto es el comienzo de la formación de la iglesia en Corea del Sur. Como los creyentes de Corea del Norte estaban sufriendo persecución, huyeron hacia Corea del Sur, donde comenzaron a reunirse en pequeños grupos que con el paso del tiempo crecieron hasta convertirse hoy en una gran fuerza misionera.[35] El cristianismo contribuyó en gran

---

[33] John Phillips, *Exploring Acts [Explorando los Hechos]* (Neptune, NJ: Loizeaux Brothers, 1991), 146.

[34] Phillips, *Exploring Acts*, 147-48.

[35] Takahiro Suzuki, *What Made Korea Become a Christian Country [Lo que hizo que Corea se convirtiera en un país cristiano]*, (Houston: PowerMeUpPublishing.com, 2013), 66-67; 30-31

medida a la transformación de Corea de Sur de la misma forma en que transformó al mundo del primer siglo.

La evangelización de Samaria

Es difícil leer el libro de Hechos sin percatarnos de la expansión del cristianismo, el poder de la Palabra y la conversión de las ciudades. Y eso es precisamente lo que vemos en Hechos 8:4-8:

> Así que los que habían sido esparcidos iban predicando la palabra. Felipe, descendiendo a la ciudad de Samaria, les predicaba a Cristo. Y las multitudes unánimes prestaban atención a lo que Felipe decía, al oír y ver las señales que hacía. Porque de muchos que tenían espíritus inmundos, estos salían de ellos gritando a gran voz; y muchos que habían sido paralíticos y cojos eran sanados. Y había gran regocijo en aquella ciudad.

A donde fueran, los discípulos predicaban la Palabra (Hch 8:4). Felipe bajó a Samaria y les predicaba a Cristo. Predicar a Cristo es sinónimo de predicar la Palabra, porque el evangelio es básicamente el mensaje de Cristo. Existen dos frases importantes en esta pequeña porción. La primera es: "Y las multitudes unánimes prestaban atención a lo que Felipe decía, al oír y ver las señales que hacía"; la segunda es: "Había gran regocijo en aquella ciudad". Esto ya no era un evangelismo uno a uno o conversaciones de sobremesa. Multitudes estaban respondiendo a la predicación de la Palabra (8:6), y la ciudad de Samaria estaba siendo afectada (8:8). Lucas lo resume hermosamente: "Había gran regocijo en aquella ciudad". Una cosa es predicar la Palabra y otra es ver a una ciudad regocijarse porque la Palabra sea predicada. Derek Thomas tiene un comentario interesante referente a lo que sucedió en Samaria: "Hay un contraste deliberado establecido en este pasaje: la iglesia en Jerusalén estaba siendo perseguida, y la ciudad de Samaria experimentaba gran gozo".[36] El catalizador que había posibilitado este gozo fue el terrible sufrimiento de hombres y mujeres en una ciudad rival. Las pruebas que sufría una comunidad trajeron bendición a otra.

El gozo en sí es evidencia de que la ciudad estaba siendo afectada. La llegada del gozo es uno de los efectos del evangelio.[37] Ese era el mensaje del ángel a los pastores cuando fue anunciado el nacimiento de Cristo: "No temáis, porque he aquí, os traigo buenas nuevas de gran gozo que serán para todo el pueblo" (Lc 2:10). Ser perdonados, ser liberados, tener esperanza y tener vida eterna son buenas nuevas que producen gozo.

Dios está interesado no solo en individuos, sino también en las naciones, porque no es posible separar unos de otras. Es cierto que Dios llamó a Abraham, pero también es cierto que Dios llamó a la nación de Israel al desierto. Dios dio Su ley a Moisés para que él se la diera al pueblo. Más aún, Dios prometió a Abraham que por medio de su simiente Él bendeciría a todas las naciones del mundo. Y la manera en que planeaba hacerlo era llevando la Gran Comisión a los confines de la tierra.

Los judíos odiaban a los samaritanos, pero Dios los amaba. Tampoco es que hubiera algo especial en el pueblo judío aparte del llamado de Dios; no eran superiores ni mejores a nadie más. Los samaritanos representaban una raza mixta, pero la familia de Dios también será una raza mixta cuando se reunirá alrededor del trono para adorar al Cordero que fue inmolado.

El hecho de que Pedro y Juan descendieron a Samaria (Hch 8:14) para comprobar que Dios realmente estaba trabajando en medio de ellos es otra prueba de que las barreras estaban derrumbándose, algo que era esencial para la expansión del reino divino.[38] Grupos de personas estaban siendo transformadas simplemente por la proclamación

---

[36] Thomas, *Acts*, 223.
[37] William Barclay, *The Acts of the Apostles* [*Los Hechos de los Apóstoles*] (Louisville: Westminster John Knox Press, 2003), 75.
[38] Gundry, *Commentary on the New Testament*, 495.

de la Palabra. Jerusalén ya había sido afectada y ahora Samaria estaba experimentando tanto poder de la Palabra que Lucas dice que "había gran regocijo". Permítanme decirlo nuevamente: la Palabra de Dios, cuando realmente es aceptada, puede transformar una nación.

La conversión de Pablo

Cada creyente es importante para el reino de Dios; la sangre de Cristo pagó por todos los escogidos. Pero en términos de cómo Dios ha usado a las personas para Su gloria y honra, el apóstol Pablo probablemente ha sido el creyente más importante para la expansión del evangelio y para la transformación de las naciones.[39] Desde un principio, Dios reveló cómo pensaba utilizar a este gran siervo misionero.

Jesús se le apareció a Saulo en el camino a Damasco, ciudad donde los convertidos (judíos cristianos que hablaban griego) habían huido de la persecución.[40] Como se describe en Hechos 9, Saulo cayó al suelo y después Jesús le preguntó: "Saulo, Saulo, ¿por qué me persigues?". Saulo quedó ciego por tres días hasta que el Señor le envió a Ananías con un mensaje: "Ve, porque él me es un instrumento escogido, para llevar Mi nombre en presencia de los gentiles, de los reyes y de los hijos de Israel" (Hch 9:15). Esas palabras son vitales para entender quién sería el personaje principal que Jesús usaría para llevar el mensaje más allá de Samaria y de Judea. Un nuevo misionero estaba siendo llamado por el Señor para impactar al mundo con Su mensaje. Saulo permaneció al principio en Damasco predicando a Cristo en las sinagogas, hasta que los judíos planearon matarlo. Así que un día, Pablo escapó de noche y se dirigió a Jerusalén, en donde comenzó a predicar, pero una vez más los judíos lo buscaban. A pesar de eso, Pablo "hablaba y discutía con los judíos helenistas; mas estos intentaban matarlo. Pero

---

[39] Clinton Arnold, "Acts" ["Hechos"], de Clinton Arnold (ed.), *Zondervan Illustrated Bible Backgrounds Commentary, vol. 2* [*Comentario bíblico ilustrado de Zondervan*], (Grand Rapids: Zondervan, 2002), 289.

[40] Arnold, *Acts*, 291.

cuando los hermanos lo supieron, lo llevaron a Cesarea, y de allí lo enviaron a Tarso. Entretanto la iglesia gozaba de paz por toda Judea, Galilea y Samaria, y era edificada; y andando en el temor del Señor y en la fortaleza del Espíritu Santo, seguía creciendo" (9:29-31).

Ahora, un nuevo misionero se encontraba en Tarso, ciudad principal de Cilicia, conexión entre el interior de Asia Menor y Siria, y punto clave para el comercio del Mediterráneo.[41] Solo podemos especular qué pasaría en Tarso: esta ciudad gentil oiría el mensaje de Pablo. La Palabra se estaba expandiendo; iglesias estaban siendo plantadas por toda Judea, Galilea y Samaria (Hch 9:31). Estas ciudades no tenían descanso, en parte debido a lo activo que era Pablo. Las autoridades, por esto, reaccionaban contra la iglesia. Una vez que Pablo se fue, ellas estuvieron en paz.

La evangelización al mundo gentil (Hechos 9:32-12:24)

Los eventos más significativos en la evangelización de "los confines de la tierra" fueron 1) la conversión de Cornelio y 2) el establecimiento de la iglesia en Antioquía.

La conversión de Cornelio

No revisaremos a profundidad la visión de Pedro y la conversión de Cornelio porque no es el objetivo de este libro, pero sí debemos detallar algunos elementos sobre este evento. La visión de Pedro en relación con la conversión de Cornelio permitió que Pedro comprendiera que Dios estaba avanzando a la siguiente fase: de Israel al resto del mundo y de la ley a la gracia. Pedro entonces tenía la responsabilidad de transmitir eso a la iglesia, y en efecto lo hizo. Así que la iglesia de Jerusalén obtuvo un nuevo entendimiento respecto al plan de Dios para las naciones.[42]

---

[41] Arnold, *Acts*, 299.
[42] Longenecker, *Acts*, 870

La fase judía de la Gran Comisión estaba muy avanzada; ahora la fase gentil estaba a punto de comenzar. La conversión de Cornelio llevó el evangelio al mundo no judío con nuevas fuerzas. Cornelio era un hombre clave porque era centurión y era un gentil temeroso de Dios. Los centuriones en aquella época eran oficiales del ejército romano que comandaban sobre cien hombres aproximadamente. Tenían cierto estatus social en Roma y eran personas influyentes, ya que tenían a tantos bajo su mando.[43] Su conversión permitiría que el evangelio llegara a personas que normalmente no serían expuestas a las buenas nuevas de Jesucristo. Entonces la Palabra de Dios continuaba creciendo en distribución e influencia. Pero, además, Cornelio era un gentil temeroso de Dios, una persona que había respondido positivamente a la influencia del judaísmo y había dejado atrás a los ídolos de la religión pagana.[44] Como tal, Cornelio sería una figura importante para comunicar el evangelio y para dar a entender que de ese punto en adelante las personas no necesitaban venir a Dios a través del judaísmo, como era enseñado en aquel entonces, sino a través de Cristo.[45] La circuncisión, el templo y la sinagoga dejarían de ser importantes.

La iglesia en Antioquía

Si Satanás fue el agente de persecución, no debió haber tenido idea de cómo esta persecución impulsaría el crecimiento de la iglesia. Podemos ver parte de esto en Hechos 11:19-21:

> Ahora bien, los que habían sido esparcidos a causa de la persecución que sobrevino cuando la muerte de Esteban, llegaron hasta Fenicia, Chipre y Antioquía, no hablando la palabra a nadie, sino solo a los judíos. Pero había algunos de ellos, hombres de Chipre

---

[43] Bock, *Acts*, 386.
[44] Bock, *Acts*.
[45] Longenecker, *Acts*, 870

y de Cirene, los cuales al llegar a Antioquía, hablaban también a los griegos, predicando al Señor Jesús. Y la mano del Señor estaba con ellos, y gran número que creyó se convirtió al Señor.

Ahora tres ciudades habían escuchado el evangelio gracias a la persecución: Fenicia, Chipre y Antioquía de Siria. Estas ciudades eran centros importantes para la evangelización del mundo.

Clinton E. Arnold comenta: "Antioquía era la tercer ciudad más grande en el Imperio Romano; contaba con una población que oscilaba entre los 250 mil y 500 mil habitantes. La ciudad también tenía una población judía importante, estimada entre los 30 mil y 50 mil habitantes".[46] La iglesia en este lugar se desarrolló de una manera tan increíble que llegó al punto de que la iglesia de Jerusalén tuvo que enviar a Bernabé para que comprobara la obra de Dios (11:22-24). Hechos 8:24 termina diciendo: "Y una gran multitud fue agregada al Señor". En cada lugar en que la Palabra era predicada había una respuesta significativa a favor. Esa es precisamente la razón por la que David Peterson dice: "La Palabra es un 'personaje' central en el libro de Hechos. Lucas la presenta como la poderosa fuerza capaz de conquistar al mundo".[47]

Antioquía (como las otras dos ciudades) estaba lejos de Jerusalén, como mínimo a 483 kilómetros de separación. La Palabra comenzaba expandirse. La respuesta no fue pequeña de acuerdo con lo que Lucas describe ("Y una gran multitud fue agregada al Señor". Esta frase podría significar que muchos dejaron a sus dioses paganos).[48] Cuando Bernabé llegó, se percató de que el trabajo era muy grande y, por tal razón, se fue a Tarso a encontrar a Pablo para que le ayudara con la iglesia en Antioquía.

---

[46] Arnold, *Acts*, 316.
[47] Peterson, *The Acts of the Apostles*, 350.
[48] Gundry, *Commentary on the New Testament*, 509.

Podríamos decir que fue desde la iglesia de Antioquía que la Gran Comisión se impulsó hacia los confines del mundo. Desde esta iglesia Pablo partiría a cada uno de sus viajes misioneros. ¡Qué bendición era esta iglesia! Pedro no la dirigía ni tampoco estaba bajo la supervisión de la iglesia de Jerusalén.[49] Era una iglesia independiente conformada por varios líderes (Hch 13:1). Fue aquí donde "a los discípulos se les llamó cristianos por primera vez" (Hch 11:26).

Esta fase de la expansión en el libro de Hechos termina con estas palabras: "Pero la palabra del Señor crecía y se multiplicaba" (Hch 12:24). La propagación de la Palabra era imparable. A partir de este momento, la iglesia de Antioquía se convertiría en el centro evangelístico desde el cual se alcanzaría al mundo gentil. La Palabra de Dios predicada por Pablo, quien fue enviado desde esta iglesia en diversas ocasiones, pronto impactaría Europa. Lo que comenzó en Jerusalén y Samaria ahora se estaba moviendo hacia el extenso mundo gentil; la Palabra de Dios estaba cambiando la cara de ambos mundos.

La propagación de la Palabra en Chipre y Galacia (Hechos 12:25-16:5)

Esta es una sección importante tanto para el libro de Hechos como para la evangelización del mundo. Lucas registra aquí el primer viaje misionero de Pablo en su totalidad (Hch 13:3-14:28). Pablo y Bernabé fueron enviados desde la iglesia de Antioquía a su primer viaje luego de un tiempo de ayuno y oración (Hch 13:3). Esta iglesia gentil era ideal para el trabajo que habrían que realizar los nacientes misioneros pues tenía diversidad en el liderazgo: Bernabé, nativo de Chipre; Simeón, también llamado Niger, un hombre de color; Lucio de Cirene, ciudad del Norte de África; Manaen, un amigo de toda la vida de Herodes el tetrarca; y

---

[49] Gundry, *Commentary on the New Testament*, 351.

Saulo, el apóstol judío con un llamado divino a los gentiles. Este grupo de líderes era "un grupo racial conformado por mensajeros arriesgados".[50]

Esta fue la clase de iglesia que envió a Pablo y Bernabé. Desde allí fueron a Chipre (Hch 13:4) y después a Antioquía de Pisidia (una Antioquía diferente a la Antioquía donde estaba ubicada la iglesia de la cual partieron). En el segundo día de reposo en aquella ciudad la predicación de la Palabra atrajo tanto interés que "casi toda la ciudad se reunió para oír la palabra del Señor" (Hch 13:44). Esta es una declaración asombrosa. Tal respuesta parece no haberse dado después de este acontecimiento, pero en muchos lugares en donde se han experimentado avivamientos se han documentado experiencias similares. Mientras la Palabra continuaba esparciéndose, las ciudades en donde ella era predicada continuaban siendo sacudidas. Los judíos estaban tan enojados que "se llenaron de celo" (Hch 13:45). Peterson escribe: "La expresión final del celo [fue] la persecución organizada que [resultó] en la expulsión de la región" (Hch 13:50).[51] Sin embargo, después de la oposición, Lucas escribe: "Y la palabra del Señor se difundía por toda la región" (Hch 13:49). Aquellos fueron días de grandes victorias.

De Antioquía de Pisidia, Pablo y Bernabé partieron a Iconio y después a Listra. En esta última ciudad, Pablo fue apedreado y dejado por muerto (Hch 14:19). Sin embargo, esto no fue suficiente para detener el avance de la Gran Comisión. Incluso en Listra Pablo fue capaz de predicar y hacer muchos discípulos (Hch 14:21). Con el paso del tiempo Pablo y Bernabé regresaron a la iglesia de Antioquía en Siria y entregaron un informe. Tiempo después Pablo inició su segundo viaje misionero con Silas (Hch 15:40) como resultado de un desacuerdo que tuvo con Bernabé (Hch 15:36), y partió nuevamente desde la iglesia de Antioquía de Siria.

---

[50] Hughes, *Acts*, 174.
[51] Peterson, *The Acts of the Apostles*, 397.

La evangelización de Europa (Hechos 16:6-19:20)

En su segundo viaje misionero, Pablo y Silas arribaron en Derbe y Listra. Fue aquí donde Pablo encontró y reclutó a Timoteo (Hch 16:1). Lucas también estaba con ellos. Su primer intento fue ir y predicar el evangelio a las regiones de Frigia y Galacia, pero el Espíritu se los prohibió. Así que intentaron ir a Misia y después a Bitinia, "pero el Espíritu de Jesús no se lo permitió [a Pablo]" (Hch 16:7) y, por tanto, se fueron a Troas. Este fue el sitio elegido por Dios para revelarle a Pablo que su nuevo campo de trabajo se localizaba en un nuevo continente (Europa). Sin duda la evangelización del Imperio Romano en el libro de Hechos estaba bajo el control de Dios y así es en la actualidad también.[52] Los siguientes son comentarios de gran ayuda sobre actividades misioneras pasadas y presentes:

> *En primer lugar*, entendemos, al igual que ellos, que Dios está activo en la vida y la misión de Su iglesia. Nuestro Dios conoce el futuro y tiene un plan que incluye a Su pueblo. *En segundo lugar*, el libro de Hechos nos dice que Dios sabe guiar la misión de Su iglesia. Dios es capaz de dar dirección positiva y de prohibir el progreso de la misión en ciertas direcciones. *En tercer lugar*, la voluntad divina no se conoce fácilmente en las circunstancias adversas. El hecho de que la misión se enfrente a oposición no implica que las acciones tomadas hayan salido de la voluntad de Dios. *En cuarto lugar*, la voluntad de Dios no siempre es revelada ni conocida; sin embargo, este hecho no debería detener la misión. Mientas que Pablo en ocasiones no tenía guía clara sobre qué hacer y hacia dónde ir, la mayor parte de la narrativa

---

[52] Gene Green, "Finding the Will of God: Historical and Modern Perspectives" ["Encontrando la voluntad de Dios: perspectivas históricas y modernas"], en Robert Gallagher y Paul Hertig (eds.), *Mission in Acts* [*Misiones en Hechos*] (Maryknoll, NY: Orbis Books, 2004), 209-220.

nos muestra un apóstol que planeaba y actuaba de acuerdo con un plan estratégico.[53]

Lucas, en relación con esta nueva fase de la Gran Comisión, relata: "Y pasando por Misia, descendieron a Troas. Por la noche se le mostró a Pablo una visión: un hombre de Macedonia estaba de pie, suplicándole y diciendo: Pasa a Macedonia y ayúdanos" (Hch 16:8-9). Y así lo hicieron. Una vez en Macedonia, Dios guio al equipo misionero a la importante ciudad de Filipos, una colonia romana. Ahí es donde Pablo conoció a Lidia mientras predicaba el evangelio junto al río, en el lugar de la oración. Lidia era vendedora de púrpura. El Señor abrió su corazón para entender el mensaje de Pablo. Ella y su casa creyeron y, como consecuencia, una iglesia fue fundada en aquel importante lugar. Pablo y Silas terminaron encarcelados en aquella ciudad después de haber expulsado a un demonio de una niña (Hch 16:16-18), pero este encarcelamiento fue solo otro evento orquestado por el cielo, porque fue por causa de este evento que el carcelero de la ciudad y toda su casa creyeron (Hch 16:25-34). Dentro y fuera de la cárcel Dios estuvo en control total, y frecuentemente utilizó los encarcelamientos de Pablo para el progreso de la causa de Cristo (Fil 1:12-13).[54]

Una mujer de buen nivel económico (Lidia) y un ciudadano común (el carcelero) fueron alcanzados por el mensaje del evangelio. Ellos llegarían a ser personas que influenciarían en sus respectivos estratos sociales. Esa es la forma en que la Palabra siempre ha progresado, alcanzando a toda clase de personas. Desafortunadamente, Pablo y Silas fueron obligados a dejar la ciudad y continuaron su camino hacia Tesalónica, una ciudad comerciante con una población de 200 mil habitantes. Pablo tenía una estrategia para su ministerio, aunque muchos pretenden negar este hecho. Él iba a ciudades que tuvieran grandes poblaciones y

---

[53] Green, "Finding the Will of God", 217-218.
[54] Thomas, *Acts*, 466.

gran influencia. Las iglesias plantadas en estas ciudades más pobladas podían potencialmente alcanzar a pueblos más pequeños para que la expansión del evangelio continuara. A pesar de su corta estancia en Tesalónica, el equipo misionero fue capaz de influenciar allí a un grupo de personas: "Algunos de ellos creyeron, y se unieron a Pablo y a Silas, juntamente con una gran multitud de griegos temerosos de Dios y muchas de las mujeres principales" (Hch 17:4). De acuerdo con Schnabel,

> El segundo verbo, "se juntaron", describe el nacimiento de una nueva comunidad de creyentes en Jesús. Los que se convirtieron se unieron a Pablo y a Silas. El verbo también podría traducirse como "fueron asignados a", lo que nos da una idea más explícita de la iniciativa de Dios: Él no solo busca la conversión de nuevos creyentes, sino también la fundación de nuevas comunidades.[55]

Judíos, griegos devotos y mujeres nobles se unieron al reino de Dios en Tesalónica.[56] La clave para lograr esto fue la predicación de los fieles embajadores de Dios. Pero, una vez más, Pablo y compañía fueron sacados de la ciudad y obligados a irse al siguiente pueblo, Berea, en donde encontraron el mismo odio por parte de los judíos. Sin embargo, lo único que la persecución era capaz de provocar era mover la misión de Cristo de un pueblo a otro. Y con eso, Europa comenzó a ser evangelizada.

Desde Berea, Pablo se fue a Atenas, en donde intentó persuadir a los estoicos y epicúreos en el areópago, pero ellos no tenían interés en él; se burlaron en su cara. Muy pocos creyeron en Atenas y ninguna iglesia fue fundada ahí. Atenas era una ciudad importante, pero sus ciudadanos no tenían tiempo para Pablo.

Pablo dejó Atenas e inmediatamente se fue a Corinto, una colonia romana y el lugar de residencia del gobernador romano de la provincia

---

[55] Schnabel, *Acts*, 705.
[56] Schnabel, *Acts*.

de Acaya, con una población de 80 mil a 100 mil personas.[57] Aquí el mensaje encontró resistencia, como de costumbre, por parte de los judíos, pero un evento importante sucedió: "Y Crispo, el oficial de la sinagoga, creyó en el Señor con toda su casa, y muchos de los corintios, al oír, creían y eran bautizados" (Hch 18:8). El principal de la sinagoga regulaba el servicio de la misma. "Su conversión [la de Crispo] sin duda tuvo un impacto considerable en muchos que asistían regularmente a la sinagoga".[58] Estas conversiones de judíos importantes nos permiten ver cómo la fe cristiana iba creciendo en número y en influencia. Muchos ciudadanos comunes creían, pero también muchas personas influyentes adoptaban la nueva fe. La conversión de líderes religiosos siempre tiene un efecto significativo. El Imperio Romano fue transformado por la conversión de personas comunes, endemoniados, ricos, religiosos y otros. Pablo pasó dieciocho meses en Corinto.

Y de Corinto se fue a Éfeso, la capital de Asia menor, la cual tenía una población estimada de 250 mil habitantes.[59] Pablo se quedó ahí por dos años y, como consecuencia, "todos los que vivían en Asia oyeron la palabra del Señor, tanto judíos como griegos" (Hch 19:10). Esa es una declaración impresionante. Puede ser en sentido hiperbólico, pero nos da la impresión de que el ministerio de la palabra en Éfeso fue monumental. F. F. Bruce comenta al respecto:

> Por dos años este trabajo continuó. Mientras Pablo se quedó en Éfeso, parte de sus colegas llevaron el trabajo misionero a ciudades vecinas […] Quizás las siete iglesias de Asia, mencionadas en el Apocalipsis de Juan, también fueron fundadas en esas fechas. La provincia fue intensamente evangelizada y permaneció, por muchos siglos, como uno de los centros cristianos más importantes.[60]

---

[57] Arnold, "Acts" ["Hechos"], 394.
[58] Phillips, *Exploring Acts*, 358.
[59] Phillips, *Exploring Acts*, 406.
[60] Bruce, *The Book of Acts*, 366.

No es de sorprender que Lucas concluya esta parte de la narrativa con estas palabras: "Así crecía poderosamente y prevalecía la palabra del Señor" (Hch 19:20). La Palabra no solo se esparcía, sino que prevalecía donde quiera que fuera predicada.

La Palabra llega a Roma (Hechos 19:21–28:31)

En Hechos 18:22-23 leemos:

> Al desembarcar en Cesarea, [Pablo] subió a Jerusalén para saludar a la iglesia, y luego descendió a Antioquía. Y después de pasar allí algún tiempo, salió, recorriendo por orden la región de Galacia y de Frigia, fortaleciendo a todos los discípulos.

En este último versículo Pablo muestra interés en visitar algunas iglesias que fueron plantadas anteriormente y marca el comienzo de su tercer viaje misionero. En nuestro relato, procederemos a la sección del libro que narra el viaje de Pablo a Roma. Sin embargo, es importante mencionar primero que el ministerio de Pablo en Éfeso fue altamente efectivo, como lo indica Hechos 19:18-19: "Muchos de los que habían creído continuaban viniendo, confesando y declarando las cosas que practicaban. Y muchos de los que practicaban la magia, juntando sus libros, los quemaban a la vista de todos; calcularon su precio y hallaron que llegaba a cincuenta mil piezas de plata". Respecto a este incidente, E. Johnson comenta:

> Esta renuncia fue particularmente satisfactoria debido a que fue 1) una renuncia pública, 2) una renuncia que representaba un valor financiero importante, 3) una determinación de deshacerse de la tentación y 4) una decisión de alejarse de la maldad,

borrándola incluso de la memoria. Para cumplir con esta difícil tarea, Dios daría Su gracia y ayuda por el bien de Su causa.[61]

Ahora entendemos por qué la ciudad de Éfeso estaba siendo transformada. Una de las cosas más difíciles de cambiar es la práctica religiosa de las personas, y eso es precisamente lo que sucedió en Éfeso. Tal acontecimiento causó un alboroto en la ciudad (Hch 19:21-41). Una de las quejas de Demetrio, un comerciante que se ganaba la vida haciendo figuras religiosas, era que "no solo en Efeso, sino en casi toda Asia, este Pablo ha persuadido a una gran cantidad de gente, y la ha apartado, diciendo que los dioses hechos *con las manos* no son dioses *verdaderos*." (Hch 19:26). La frase "en casi toda Asia" nos da a entender que la fe estaba teniendo efectos transformadores monumentales, no solo en una ciudad, sino en toda un continente. ¡Ese es el poder del evangelio!

El impacto del evangelio en Éfeso no puede obviarse. Éfeso era una ciudad libre que tenía su propio senado y asamblea.[62] "Contaba con una población de casi 250 mil habitantes. Era una de las ciudades más grandes del Imperio [y] sería el centro misionero de Pablo durante su tercer viaje".[63]

Desde Éfeso Pablo avanzó hacia Macedonia y llegó nuevamente a Jerusalén (Hch 21:15-17), en donde fue capturado por la multitud (Hch 21:27-30). Antes de ser alejado de ella, pudo dar todo su testimonio de conversión (Hch 22:1-21). El complot para matarlo no tuvo éxito debido a la intervención de las autoridades (Hch 23:12-22). Pablo entonces fue llevado a Cesárea para su protección (Hch 23:23-33). Ahí lo entregaron a Félix, el gobernador, quien tuvo la oportunidad de escuchar a Pablo en más de una ocasión. Félix quería complacer a los

---

[61] E. Johnson, "Homilies" ["Homilías"], en H. M. Spence y Joseph Excell, *The Pulpit Commentary, vol. 18* [*Comentario desde el púlpito*] (McLean, VA: MacDonald Publishing Company, 1985), 134-135.

[62] Bock, *Acts*, 586.

[63] Bock, *Acts*.

judíos y por ello dejó a Pablo dos años en la cárcel. Posteriormente, Festo reemplazó a Félix. El nuevo gobernador escuchó a Pablo y quería que fuera a Jerusalén para ser juzgado. Pero Pablo, conociendo el peligro de dicha situación, apeló al César y Festo le otorgó su petición (Hch 25:11-12). En una ocasión, el rey Agripa visitó al gobernador y tuvo la oportunidad de escuchar el testimonio de Pablo. Cada vez que Pablo presentaba su defensa o testimonio estaba cumpliendo las palabras que el Señor le dijo a Ananías de que él era Su instrumento escogido para llevar Su nombre a los gentiles, a reyes y a los hijos de Israel.

Finalmente, Pablo fue enviado en barco a Roma (Hch 27) y después de un naufragio y de tres meses de viaje, arribó allí (Hch 28:11). Estaba bajo arresto domiciliario y se le dieron ciertas libertades, ya que Lucas comenta que un importante número de personas le visitaban. Así es como termina el libro de Hechos:

> Y Pablo se quedó por dos años enteros en la habitación que alquilaba, y recibía a todos los que iban a verlo, predicando el reino de Dios, y enseñando todo lo concerniente al Señor Jesucristo con toda libertad, sin estorbo (Hch 28:30-31).

Las palabras "sin estorbo" son significativas. Es asombroso ver que durante todo el libro de los Hechos observamos que la propagación de la Palabra de Dios fue imparable. Al comentar sobre el último versículo del libro de Hechos, Juan Calvino dijo: "Por tanto, no debe sorprendernos que el apóstol Pablo dijera que la Palabra de Dios no estaba presa (2Ti 2:9)".[64] La proclamación de la verdad de Dios no afectó solo a personas como Lidia, el carcelero, Cornelio o las mujeres nobles, sino también a Jerusalén, Samaria, Corinto y Éfeso, por mencionar solo algunas ciudades. Y ahora, con Pablo en una prisión romana, lo mismo

---

[64] John Calvin, *The Acts of the Apostles* [*Los Hechos de los apóstoles*], (Grand Rapids: Baker Book House, 1996), 432.

sucedería con la capital del Imperio. La Palabra de Dios, cuando verdaderamente es aceptada, es capaz de transformar una nación.

Conclusión

El libro de Hechos representa la historia de la iglesia durante las primeras tres décadas después de la ascensión de Cristo. Es un paseo histórico precioso, narrado por un testigo presencial (Lucas). A través del libro podemos ver la mano soberana de Dios dirigiendo el nacimiento y el crecimiento de la iglesia mediante la predicación de Su Palabra y la disposición de circunstancias históricas. Es impresionante ver a individuos convertirse a Cristo a pesar de llevar en sus espaldas cientos de años de tradiciones judaicas. Pero también hay ciudades que respondieron a la predicación del mismo mensaje mientras que Pablo pasaba por Jerusalén, Judea, Samaria, Siria, Chipre, diversas ciudades de Asia Menor, Macedonia, Grecia y Roma, su destino final.

A través del libro de Hechos leemos que personas de diferente nivel social adoptaban la fe; vemos a personas cambiar sus creencias religiosas y sus prácticas: del judaísmo al cristianismo; del paganismo al evangelio. Líderes religiosos (sacerdotes judíos, el principal de una sinagoga), líderes romanos (un centurión) y líderes sociales (mujeres nobles) se convirtieron al evangelio. Gobernadores (Félix, Festo) y reyes (Agripa) escucharon el evangelio. Y dos ciudades principales de Europa (Atenas y Roma) fueron visitadas por el más grande los apóstoles. En Roma la predicación continuó abiertamente y sin estorbo. Podemos ver el "terremoto religioso" que sacudió a esas regiones en el primer siglo.

Además encontramos una ciudad saturada de la enseñanza de los apóstoles (Jerusalén); una ciudad llena de gozo (Samaria); una ciudad alborotada porque la gente quemó libros de magia valorados en una exorbitante suma de dinero (Éfeso). También vemos que el evangelio fue predicado en tres continentes diferentes (Asia, norte de África y Europa).

Sin duda, el libro de Hechos es el comienzo de la Gran Comisión y la esperanza para el cumplimiento del resto de la tarea. Al ver lo que la predicación de la Palabra de Dios fue capaz de hacer en estas antiguas ciudades, los creyentes podemos tener esperanza para completar nuestra misión. Ciertamente nadie pudo haber anticipado los cambios monumentales vistos en el primer siglo simplemente por la predicación de la Palabra. Esto es especialmente cierto cuando consideramos las limitaciones de esa época, junto con la persecución y opresión contra la iglesia primitiva. Si las únicas palabras que tuviéramos fueran aquellas de Hechos 1:8 ("Me seréis testigos en Jerusalén, en toda Judea y Samaria, y hasta los confines de la tierra"), habría sido difícil imaginar cómo se iba a llevar a cabo la evangelización. Pero al ver lo que sucedió en los primeros treinta años, podemos ver que la tarea es factible, algo que deberíamos de creer simplemente porque Dios lo dijo. Sin embargo, como seres humanos tendemos a ser como Tomás; necesitamos ver para creer.

En resumen, el libro de Hechos es un libro asombroso que narra la extraordinaria historia de una iglesia sencilla, capacitada por un Dios soberano, dotada con una Palabra omnipotente. Él habla y las cosas suceden; Sus promesas son tan tangibles como la realidad. Poder fue prometido y poder fue dado. La Gran Comisión fue anunciada y se expandió como fuego; un perseguidor de la iglesia fue elegido como la figura misionera principal y se convirtió en un apóstol en cadenas con una causa que avanzaba mientras él estaba en prisión. ¡Ciertamente, la Palabra de Dios, cuando es realmente aceptada, puede transformar naciones!

4

LA LEY EN LA ACTUALIDAD:
Estados Unidos, una advertencia para América Latina

Probablemente ningún otro país ha sido tan influenciado desde su fundación por la Palabra de Dios como lo fue Estados Unidos. Este capítulo nos alecciona con referencia a la decadencia espiritual de una nación que alguna vez mostró una visible transformación a través de la Palabra de Dios. Aún se debate si Estados Unidos fue fundado como una nación cristiana. Algunos piensan que este país fue influenciado por los valores de la Ilustración cuando se escribió la Declaración de Independencia, señalando la postura en contra del cristianismo de algunos de los padres fundadores. Es un hecho que "no todos los padres fundadores eran fervientes cristianos ortodoxos";[1] algunos eran deístas. Tal fue el caso de Thomas Jefferson, el principal autor de la Declaración de Independencia (1776) y de Benjamin Franklin, quien firmó la Constitución de los Estados Unidos de América. Michael Horton dice que "Thomas Paine, Thomas Jefferson y Benjamín Franklin estaban tan involucrados con las ideas desarrolladas

---

[1] Mark Noll, *One Nation Under God? Christian Faith and Political Action in America* [*¿Una nación bajo Dios? Fe cristiana y acciones políticas en Estados Unidos*] (SanFrancisco: Harper & Row Publishers, 1988), 6.

en Francia que adoptaron tantas posturas anticristianas como lo hicieron los mismos revolucionarios franceses".[2]

Aun así, no hay duda de que la influencia cristiana en Estados Unidos a lo largo de los años ha sido importante. Incluso historiadores como Mark Noll, quienes no creen en la idea de un Estados Unidos cristiano, están de acuerdo con que "los cristianos han jugado roles centrales en la historia de la nación y los valores cristianos han sido importantes en la vida pública del país".[3] Noll incluso dice que "de hecho, los valores cristianos pueden fortalecer un país. Yo [Noll] deduzco que los valores cristianos han servido frecuentemente en el fortalecimiento de este país".[4] Ciertamente el movimiento puritano ejerció una importante influencia, como aduce Noll en su libro *One Nation Under God? Christian Faith and Political Action in America* [*¿Una nación bajo el gobierno de Dios? La fe cristiana y la acción política en Estados Unidos*]: "Las ideas de la Reforma que llegaron de Inglaterra determinaron en un principio la historia de Nueva Inglaterra, ejercieron una influencia convincente en otras partes de las colonias americanas y se convirtieron en la fuerza dominante para moldear las actitudes religiosas acerca de la vida pública en la civilización americana".[5]

Cuando los puritanos llegaron a Estados Unidos, hicieron de la educación una prioridad, y en 1642 aprobaron una ley que estableció la educación obligatoria para todos los niños.[6] Esto explica por qué la iglesia cristiana fundó muchas de las primeras escuelas y universidades. La Universidad de Harvard (1636) fue fundada "con el propósito de educar ministros puritanos".[7] Los puritanos llamaban a la Universidad

---

[2] Michael Horton, *Made in America: The Shaping of Modern American Evangelicalism* [*Hecho en Estados Unidos: La organización del evangelismo estadounidense moderno*] (Grand Rapids: Baker Book House, 1991), 25.
[3] Noll, *One Nation Under God?*, x.
[4] Noll, *One Nation Under God?*, xi.
[5] Noll, *One Nation Under God?*, 19.
[6] James Kennedy, *What if Jesus Had Never Been Born?* [*¿Qué si Jesús no hubiera nacido?*] (Nashville: Thomas Nelson, 2001).
[7] Benjamin Hart, *Faith and Freedom* [*Fe y libertad*] (Ottawa, IL: Jameson Books, 2010), 107.

de Harvard "la sal de las naciones".[8] En 1701 Yale se fundó con el propósito de educar clérigos.[9] La Universidad de Princeton, que inició como escuela Presbiteriana, y la Universidad de Columbia, inicialmente llamada la Escuela del Rey, eran tan estrictas con sus estudiantes que solo admitían a aquellos que pudieran traducir los Evangelios al inglés desde el griego.[10] James Kennedy afirma que "de las primeras 123 escuelas y universidades en Estados Unidos, casi todas tienen sus orígenes en el cristianismo".[11]

Otro movimiento cristiano que dejó una gran huella en el territorio americano fue el llamado "El Gran Avivamiento" (1738-1760 d.C.). La figura principal de este movimiento fue el brillante pastor y teólogo Jonathan Edwards. Los autores del primer tomo del libro *A Nation Under God: Religion in Contemporary American Society* [*Una nación bajo Dios: Religión en la sociedad estadounidense contemporánea*] coinciden en que el Gran Avivamiento tuvo grandes efectos en la sociedad estadounidense:

El Gran Avivamiento dio nueva vida al protestantismo y le dio una mezcla distintiva de fervor y de pietismo dentro de la estructura fundamentalista. Causó la evangelización masiva que, más que cualquier otro factor, dio forma al protestantismo de Estados Unidos durante los siglos 19 y 20. El historiador Franklin Littell declara que el gran avivamiento produjo sustento y crecimiento en las "iglesias del avivamiento" —bautistas, metodistas y discípulos de Cristo.[12]

---

[8] Horton, *Made in America*, 21.
[9] Hart, *Faith and Freedom*, 109.
[10] John Wilsey, *One Nation under God?* [¿*Una nación bajo Dios?*] (Eugene, OR: Pickwick Publications, 2011), 58.
[11] Kennedy, *What if Jesus Had Never Been Born*, 52.
[12] Barry A. Kosmin y Seymour P. Lachman, *One Nation Under God* [*Una nación bajo Dios*] (New York: Crown Publishers, 1993), 27.

A pesar de que la evidencia apunta a que Estados Unidos ha sido una nación fuertemente influenciada por la fe cristiana, muchos aún no creen en un "Estados Unidos cristiano". Por ejemplo, para John D. Wilsey esta nación es más "una mezcla de elementos seculares y cristianos. Los evangélicos pueden y deben poner énfasis en que Estados Unidos no fue fundado como nación cristiana, sino que fue fundado como una nación con libertad religiosa".[13] Mark Noll, Nathan O. Hatch y George M. Marsden comparten esta opinión.[14] Sin embargo, como vimos anteriormente, incluso Noll admite la fuerte influencia de los valores y la fe cristiana en la nación.

El propósito de la historia expuesta es explicar por qué muchas de las leyes de Estados Unidos están basadas o al menos son congruentes con la verdad dictada en los Diez Mandamientos, al menos hasta hace poco. Hasta hace pocos años, aquellas leyes estaban presentadas en los edificios de gobierno, pero algunos ciudadanos se quejaron de esta tradición por considerarla ofensiva. Y de repente, años de historia comenzaron a derrumbarse. Todas las naciones necesitan buenas leyes, pero buenas leyes no pueden ser plantadas en el aire, deben tener raíces en verdades eternas que son válidas en todo tiempo, para todas las personas, en todo lugar.

Estados Unidos: una nación a la deriva

La nación de Israel fue explícitamente organizada alrededor de los Diez Mandamientos. Pero en los últimos dos mil años, estos mandamientos influenciaron a muchas otras naciones también. De acuerdo a Mark F. Rooker, "dos grandes gobernantes de Europa medieval, Carlomagno (742-814 d.C.) y Alfredo (849-99 d.C.), establecieron

---

[13] Wilsey, *One Nation under God*, 172.
[14] Mark Noll, Nathan Hatch y George Marsden, *The Search for Christian America* [*En búsqueda de un Estados Unidos cristiana*] (Colorado Springs: Helmers & Howard Publishers, 1989).

sistemas legales basados en las leyes bíblicas, las cuales incluían los Diez Mandamientos".[15]

Es difícil negar la influencia de estos mandamientos en las leyes estadounidenses. Hasta John Adams, el segundo presidente de Estados Unidos (1797-1801 d.C.) y enemigo del cristianismo, dijo en una ocasión: "A pesar de que amo, estimo y admiro a los griegos, creo que los hebreos han hecho más por iluminar y civilizar al mundo. Moisés hizo más que todos los legisladores y filósofos griegos".[16] Los Diez Mandamientos han jugado un rol muy importante en el desarrollo de muchas constituciones nacionales. En 2006 M. Dershowitz declaró: "Los Diez Mandamientos son claramente los precursores de todas las leyes occidentales, incluyendo las de Estados Unidos".[17]

Desafortunadamente, muchas naciones influenciadas en el pasado por la ética judeocristiana han logrado apartar de sus sociedades los valores que una vez las hicieron grandes. Han sucedido grandes cambios en los últimos 50 años, aunque las cosas empezaron a cambiar desde mucho antes. En 1933 John Dewey, padre de la educación moderna, firmó el primer manifiesto humanista que incluía tres principios fundamentales: 1) no existe un creador; 2) no existe la creación; y 3) no existe la moral absoluta de Dios.[18] Casi 30 años después (en 1962), la oración fue prohibida en las escuelas públicas (después de 300 años de oración pública en las escuelas);[19] el año siguiente (en 1963) la lectura de la Biblia también fue prohibida en las escuelas públicas;[20] en 1968

---

[15] Mark Rooker, *The Ten Commandments: Ethics for the Twenty-First Century* [*Los Diez Mandamientos: Ética para el Siglo 21*] (Nashville: B&M Publishing Group, 2010), 1.

[16] Z. Haraszti, *John Adams and the Prophets of Progress* [*John Adams y los profetas del progreso*], (Cambridge, MA: Harvard University Press, 1952), 246.

[17] Rooker, *The Ten Commandments*, 2.

[18] Norman Geisler, "The Conservative Agenda: It's Basis and Its Basics" ["Agenda conservativa: Sus bases y generalidades"], recuperado en mayo 26 de 2014 de http://www.normgeisler.com/articles/political/TheConservativeAgendaBasisAndBasics.htm.

[19] "Engel v. Vitale 370 U.S. 421 (1962)", recuperado en septiembre 11 de 2014 de https://supreme.justia.com/cases/federal/us/370/421/case.html.

[20] "School District of Abington Tp. v. Schempp 374 U.S. 203 (1963)", recuperado en mayo 26 de 2014 de https://supreme.justia.com/cases/federal/us/374/203/case.html.

las leyes que prohibían enseñar la evolución fueron declaradas inconstitucionales.[21] Pero la caída en espiral no paró ahí. En 1973 el aborto fue declarado legal.[22] En 1987 las leyes que requerían la enseñanza de la creación junto con la evolución fueron revocadas.[23] Cambios estremecedores tuvieron lugar para finales del siglo 20. Una agenda muy sutil, desconocida para muchos, había estado en movimiento desde hace varias décadas. En 1983, John Dunphy, un autodeclarado humanista secular, escribió en el Diario Humanista:

> Estoy convencido de que la batalla por el futuro de la humanidad debe ser librada y ganada en los salones de las escuelas públicas, por maestros que correctamente perciben su rol como proselitistas de una nueva fe: una religión humanista que reconoce y respeta la chispa de los que los teólogos llaman divinidad en cada ser humano. Estos maestros deben mostrar la misma dedicación que muestran los predicadores apasionados, ya que ellos serán ministros de otro tipo, usando el salón de clases en lugar de un púlpito, para transmitir valores humanitarios a cualquier persona que enseñen, sin importar el nivel de educación —preescolar o universitario. El salón de clases debe convertirse en un área de pelea entre lo viejo y lo nuevo —entre el descompuesto cadáver del cristianismo, junto con su maldad y miseria; y la nueva fe del humanismo, con la promesa de un mundo en el que el ideal cristiano de "amar al prójimo" será finalmente alcanzado.[24]

---

[21] "Epperson v. Arkansas 393 U.S. 97 (1968)", recuperado en mayo 26 de 2014 de https://supreme.justia.com/cases/federal/us/393/97/case.html.

[22] "Roe v. Wade 410 U.S. 113 (1973)", recuperado en mayo 26 de 2014 de https://supreme.justia.com/cases/federal/us/410/113/case.html.

[23] "Edwards v. Aguillard 482 U.S. 578 (1987)", recuperado en mayo 26 de 2014 de https://supreme.justia.com/cases/federal/us/482/578/case.html.

[24] John Dunphy, "A Religion for a New Age" ["Una religión para una nueva era"], en *The Humanist* [*El humanista*], *no. 43,* (enero-febrero de 1983), 26.

Puede sonar a "evangelismo" (y suena como tal), pero la verdad es que el evangelio presentado aquí es secular y ateo. Estas palabras, escritas hace 30 años, se han cumplido. Hoy los maestros de muchas escuelas enseñan a sus alumnos que una relación amorosa entre personas del mismo sexo es perfectamente normal. Por esta razón, la Corte Suprema de Estados Unidos aprobó el matrimonio entre personas del mismo sexo. El evangelio de la "máxima libertad" está aquí; ya vemos su fruto. Su fruto no es agradable para muchos, sin embargo siguen sembrando la misma semilla.

Dios les dio a los israelitas los Diez Mandamientos como un reflejo escrito de Su carácter y como un resumen de la ley natural escrita en la conciencia del hombre. Estas leyes iban a guiar a Israel en su crecimiento, y se puede decir lo mismo para el resto de las naciones. Ignorar la ley de Dios traería consecuencias a las naciones como lo hemos visto a través de los años. Como pasó en tiempos bíblicos, también sucede hoy.

Deberías tomarte el tiempo de revisar los resultados de la encuesta nacional publicada en el libro *The Day America Told the Truth* [*El día que Estados Unidos dijo la verdad*], que presenta datos de un estudio realizado en los 50 estados de Estados Unidos a principios 1990. Las personas encuestadas respondieron más de 1800 preguntas. Los autores resumieron la primera sección del libro en veintitrés conclusiones principales del estudio. Diez de estas conclusiones son violaciones a los Diez Mandamientos de una u otra forma. Los porcentajes presentados a lado de los datos representan la proporción de estadounidenses que contestaron a la pregunta de forma afirmativa.

1. No veo sentido en guardar el día de reposo (77%).
2. Robaría a aquellos que tienen bienes que les sobran (74%).
3. Mentiría a mi favor, siempre que no cause mucho daño (64%).
4. Conduciría mi auto embriagado si me siento capaz (56%).

5. Sería infiel a mi esposa, ya que después de todo probablemente ella haría lo mismo (50%).

6. Puedo procrastinar en mi trabajo y no hacer nada uno de cada cinco días, esto es normal (50%).

7. Usaría drogas en forma recreativa (41%).

8. Mentiría en mi declaración de renta (30%).

9. Pondría a mi pareja en riesgo de una enfermedad de transmisión sexual. Tengo sexo de forma ocasional, pero ¿quién no? (31%).

10. Tal vez dijo que no quería sexo, pero estoy seguro de que ella lo quería y lo hice (20% reportó haber sido violado así).[25]

Este estudio fue revelador y sorprendente al mismo tiempo. Esto es lo que pasa cuando alguien se aleja de Dios. Estos son los resultados de la "religión humanista". Como lo dijo Steve Turner, periodista inglés, en una sátira:

Si el azar es el padre de toda carne,
El desastre es su arcoíris en el cielo,
Y cuando escuchas
¡Estado de emergencia!
¡Francotirador mata a diez!
¡Tropas alborotadas!
¡Saqueos raciales!
¡Bomba destruye una escuela!
Es el sonido del ser humano adorando a su creador.[26]

¿Y quién en su creador? Él mismo. El dios detrás del evangelio humanista es el descendiente de Adán alejado de Dios. El ser humano

---

[25] James Patterson y Peter Kim. *The Day America Told the Truth* [*El día en que Estados Unidos dijo la verdad*], (New York: Plume, 1992), 201.
[26] Ravi Zacharias, *Can Man Live without God?* [*¿Puede el ser humano vivir sin Dios?*] (Nashville: Thomas Nelson, 2004), 42-44.

ha aprendido a adorarse a sí mismo. Si la sociedad se aleja del concepto de la ley moral debe esperar consecuencias negativas.

Nuestra generación odia las restricciones, como escribe Albert Mohler: "La sociedad occidental es adicta a menos leyes con más flexibilidad".[27] Esta es razón suficiente para enseñar la ley de Dios de una forma más coherente. Tristemente, nuestra sociedad es *antinómica*. Esta es una palabra compuesta por la preposición *anti*, que significa "en contra" y el sustantivo *nomos*, que significa "ley". Aquellos que no creen en la verdad absoluta deben ser considerados antinómicos porque es imposible tener la ley de Dios si no existen verdades absolutas. Esto es precisamente en lo que cree la sociedad posmoderna. Si no hay valores absolutos, no hay ley; y si no hay ley, no hay legislador; y si no hay legislador, no hay leyes que rijan el mundo.

Consecuencias de la violación de cada uno de los Diez Mandamientos: el caso de Estados Unidos

La historia de las naciones nos permite ver cómo la religión afecta sus vidas. En su reciente libro *Coming Apart* [*Descomponiéndose*], Charles Murray escribe: "Las personas que asisten a una iglesia regularmente y dicen que su religión es una prioridad importante para sus vidas tienen una mayor expectativa de vida, menos discapacidades y matrimonios más estables. Una revisión de las investigaciones hasta el año 2001 concluyó que existe evidencia sólida que muestra la relación de la religión con la felicidad; la satisfacción, con la vida; la autoestima, con menos depresión y menor abuso de sustancias; y la lista sigue, incluyendo resultados positivos para hijos de padres religiosos".[28]

[27] Albert Mohler, Jr., *Words from the Fire* [*Palabras desde el fuego*] (Chicago: Moody Publishers), 29.
[28] Charles Murray, *Coming Apart* [*Desprendiéndose*] (New York: Crown Forum, 2013), 205.

Si estos son los efectos de solo ser religioso, ¿cuánto más efectos tendría una *nación* si sus leyes estuvieran apegadas a las leyes de Dios resumidas en los Diez Mandamientos? Como se mencionó antes, Dios hizo al ser humano responsable por la violación de Sus mandamientos mucho antes de que fueran entregados a los israelitas. Esto es justo porque esas verdades son parte de la ley natural, escrita en la conciencia humana.

El Primer Mandamiento: Éxodo 20:3

No tendrás otros dioses delante de Mí.

No debe sorprendernos que los Diez Mandamientos inicien con Dios, así como lo hace el libro de Génesis, "En el principio Dios". Para el pueblo que acababa de dejar el mundo politeísta de Egipto, este mandamiento significaba mucho. Los israelitas habían pasado 430 años rodeados de miles de personas que adoraban múltiples deidades de muchas diferentes formas. Podemos decir algo similar de América Latina, un continente dominado por la iglesia católica, donde la virgen María, los ángeles, los santos y los antepasados han sido adorados por siglos. Por tanto, tener el concepto correcto de Dios es vital si como creyentes queremos afectar el futuro de nuestras naciones.

Para que una nación tenga una ley moral que sea justa e igualitaria para todos, se requiere la existencia de un Dios moral con atributos y leyes absolutos. Así, Sus mandamientos protegerán a las personas de ellas mismas y de los demás. No es accidental que Santiago llame a la ley de Dios "la ley de libertad" (Stg 1:25), como mencionamos en capítulos anteriores.

El primer mandamiento fue dado por muchas razones, pero por lo que hemos dicho hasta ahora, este mandamiento eleva nuestro concepto de un Dios con características terrenales para ver un Dios eterno, sabio, omnipotente y santo. A. W. Tozer lo dijo de la siguiente manera:

"La historia de la humanidad muestra que ningún pueblo ha superado a su religión, y la historia espiritual del ser humano demuestra que ninguna religión ha sido más grande que su concepto de Dios. La adoración puede ser pura o vil, según el concepto que el adorador tiene de Dios".[29]

En las culturas animistas, en las que las personas piensan que los dioses tienen control sobre los fenómenos naturales, ellas intentan calmar la ira de los dioses cuando hay tormentas, plagas, desastres o circunstancias similares. Esa cosmovisión y su percepción de los fenómenos naturales no puede producir avances en la ciencia.[30] Pero un Dios soberano, que controla el universo entero, quien ha puesto Su imagen en ser humano y quien ordena y gobierna la creación, es un Dios que se complace en el desarrollo de la ciencia bajo Su dirección.[31] Fue la cosmovisión cristiana la que promovió la revolución científica primeramente en Europa y luego en Norteamérica.[32] Creer en cualquier otro dios sofocaría el desarrollo de las naciones en cada dimensión, así como hemos observado en las naciones donde la influencia cristiana aún no ha estado presente.

Otro ejemplo de cómo un concepto erróneo de Dios conduce a consecuencias trágicas es el sacrificio de niños en las religiones de la antigüedad. ¿Cuál sería el valor de la vida humana en una cultura en la que los niños son sacrificados a los dioses paganos? Esta es una evidencia de cómo la violación del primer mandamiento (tener otros dioses) trae grandes consecuencias a las naciones. Hoy en día no se ofrecen sacrificios humanos a Moloc porque esta es una generación

---

[29] A. W. Tozer, *The Knowledge of the Holy* [*El conocimiento del Dios santo*] (New York: Harper & Row, 2009), 1.

[30] Darrow Miller, *Discipling the Nations* [*Discipulando a las naciones*] (Seattle: YWAM, 1998), 33-51.

[31] James Sire, *The Universe Next Door* [*El universo cercano*] (Downers Grove, IL: InterVarsity Press, 1987), 21-38.

[32] Alvin Schmidt, *Under the Influence* [*Bajo la influencia*] (Grand Rapids: Zondervan, 2001), 218-247.

más sofisticada que las anteriores y, por lo tanto, nuestros dioses son diferentes. Las personas sofisticadas, por ejemplo, prefieren el aborto, que es una forma de sacrificio humano. Ahora, la deidad honrada es el mismo hombre, quien se rehúsa a enfrentar las consecuencias de los pecados que ha cometido o, en otros casos, no está dispuesto a "sacrificar" su carrera para traer al mundo un hijo que interferiría con su estilo de vida.

En 1960 un movimiento llamado "Dios está muerto" se extendió por Estados Unidos. Quien promovió esta idea más que cualquier otro fue Thomas Altizer. Él pensaba que Dios empezó a morir desde el tiempo de la creación y terminó el proceso de morir con la encarnación de Jesús y Su muerte en la cruz.[33] Con Dios muerto, el ser humano se llena de dioses menores, ignorando el primer mandamiento. Como dijo Malcom Muggeridge: "Cuando el ser humano intenta vivir sin Dios, sucumbe ante la megalomanía, la erotomanía o ambas. El puño levantado o el falo levantado: Nietzsche o D. H. Lawrence. Pascal lo dijo, y el mundo contemporáneo lo lleva a cabo".[34] La sociedad moderna ha querido desplazar a Dios de Su trono y, como consecuencia, ha desarrollado una cultura completamente secular.

El Segundo Mandamiento: Éxodo 20:4-6

No te harás ídolo, ni semejanza alguna de lo que está arriba
en el cielo, ni abajo en la tierra, ni en las aguas debajo de la
tierra. No los adorarás ni los servirás; porque Yo, el Señor
tu Dios, soy Dios celoso, que castigo la iniquidad de los
padres sobre los hijos hasta la tercera y cuarta generación

---

[33] Norman Geisler (ed.), *Baker Encyclopedia of Christian Apologetics* [*Enciclopedia Baker de apologética cristiana*] (Grand Rapids: Baker Books, 1999), s.v. "Thomas Altizer," 16-17.
[34] Malcom Muggeridge, "25 Propositions on a 75th Birthday" ["25 propósitos para el cumpleaños número 75"], *New York Times*, abril 24 de 1978.

de los que me aborrecen, y muestro misericordia a millares,
a los que me aman y guardan Mis mandamientos.

Podemos leer estas palabras y preguntarnos cuál es la conexión entre los mandamientos y la vida de una nación. Esta cuestión se plantea porque el ser humano no se da cuenta de que la adoración a Dios lo protege de volverse esclavo de sus pasiones y pecados que le llevan a la destrucción. Cuando los israelitas ignoraron el Segundo Mandamiento, empezaron a adorar ídolos, y con el tiempo se convirtieron en el objeto que adoraban. Ya Dios se los había advertido en el Salmo 115:4-8:

Los ídolos de ellos son plata y oro, obra de manos de hombre. Tienen boca, y no hablan; tienen ojos, y no ven; tienen oídos, y no oyen; tienen nariz, y no huelen; tienen manos, y no palpan; tienen pies, y no caminan; no emiten sonido alguno con su garganta. *Se volverán como ellos los que los hacen, y todos los que en ellos confían.*

Los israelitas adoraron imágenes que representaban a los dioses paganos de las naciones vecinas, y con el tiempo se volvieron como esos dioses (Os 9:10, Jer 5:20-21, Ez 12:1-2). Se volvieron personas con ojos que no podían discernir la verdad de Dios y con oídos que no entendían la revelación de Dios. Cuando el ser humano adora algo o a alguien, poco a poco, sin darse cuenta, toma la forma de aquello que ha estado adorando.

Hoy nuestros ídolos no son tan rudimentarios ni tan públicos como los adorados en tiempos antiguos. Más bien, son creados en nuestras mentes y escondidos en nuestros corazones. Calvino dijo que el corazón humano es una "fábrica de ídolos".[35] Desde hace mucho tiempo

---

[35] John Calvin, *The Institute of the Christian Religion* [*Institución de la religión cristiana*], (Grand Rapids: Baker Book House, 1987), 1.11

Dios lo había revelado por medio del profeta Ezequiel (Ez 14:3): "Hijo de hombre, estos hombres han erigido sus ídolos en su corazón".

En la actualidad, las naciones del mundo reflejan los dioses que sus ciudadanos han estado adorando. Los estilos de vida de las naciones revelan claramente sus deidades. Una vez que se corrompe la verdad, se vuelve muy difícil, si no imposible, confiar en el Dios de verdad. Cuando la verdad está ausente, una nación no puede desarrollarse bien porque carece de la base moral que da estabilidad a los individuos y a sus familias.

Algunos de nuestros ídolos nacionales

La mayoría de las veces pensamos que los ídolos tienen la capacidad de afectar nuestra vida personal; sin embargo, así como hay ídolos personales también hay ídolos nacionales que afectan a toda la nación.

Tecnología. La generación actual valora mucho la tecnología. Por lo tanto, aquellas personas que la poseen se sienten importantes. Cuando alguien está dispuesto a pecar para obtener lo que desea, "eso que desea" actúa como su dios y a veces llega a un punto en el que no puede vivir sin satisfacer ese deseo. Cuando la obtienen, utilizan la tecnología para su beneficio personal sin considerar los valores éticos de Dios.

Hoy, a través de la tecnología, las personas pueden cambiar de sexo (al menos externamente); pueden escoger el sexo de sus hijos mediante manipulación genética; hasta podrían clonarse en un futuro. ¡La tecnología reina! Y el ser humano ha concluido que, como todo esto representa logros, por tanto, ha de ser bueno.

La tecnología es capaz de cambiar la personalidad del hombre, lo cual no debería sorprendernos. G. K. Beale demuestra esto en su libro *We Become What We Worship* [*Nos transformamos en aquello que adoramos*].[36] Cualquiera que vive sin tecnología es visto hoy con cierto

---

[36] G. K. Beale, *We Become What We Worship* [*Nos transformamos en lo aquello que adoramos*] (Wheaton, IL: IVP Academic, 2008).

desprecio o como alguien inferior. En esta era tecnológica, la gente se vuelve más impersonal, distante, emocionalmente inmadura y superficial en sus relaciones.[37] El carácter de los ciudadanos hoy en día se parece cada vez más a los aparatos que operan: sin sentimientos. Llegados a este punto, las tareas nos parecen más importantes que las mismas personas.

Poder. Las personas aman el poder porque los hace sentir que tienen el control. Una vez que lo desean, están a solo un paso de hacer del poder un ídolo. En la medida que este ídolo empieza a controlar al individuo, su personalidad empieza a cambiar hasta que de repente desea tener el control sobre los demás. Pronto se vuelve manipulador y, finalmente, se enoja y sospecha de aquellos a los que no puede controlar. Cuando el control se vuelve un ídolo, es fácil mentir, manipular, robar y seducir —todo con la intención de controlar. El escándalo de *Watergate* es un ejemplo de esto. Se llevó a cabo con la intención de garantizar el poder. El uso de poder frecuentemente lleva al abuso de poder, y el abuso de poder lleva a la pérdida de poder, como algunos han dicho.

Sexo. El sexo puede convertirse en objeto de adoración como se ha observado a través de la historia humana. Esta generación se ha obsesionado con el sexo. Aquellos que idolatran el sexo se vuelven hedonistas, narcisistas, demandantes, egoístas e insaciables. Esto explica el incremento de la pornografía, las violaciones, la homosexualidad, los cambios de género y cosas semejantes. Cuando el sexo es convertido en ídolo, las personas se vuelven impulsivas y se dejan gobernar por sus pasiones. Por esta razón, las imágenes pornográficas en la computadora se han vuelto la principal fuente de satisfacción sexual. El objetivo principal del hombre que ha hecho del sexo su ídolo es encontrar una mujer que le permita vivir sus fantasías en lugar de encontrar

---

[37] Vinoth Ramachandra, *Gods That Fail* [*Dioses que fallan*] (Westmont, IL: InterVarsity Press, 1996), 115.

una compañera enviada por Dios que lo ayude a ser todo lo que Dios quiere que sea. Ese hombre prefiere el objeto o la imagen que gratifica sus instintos.

Dinero. El dinero es el gran dios más deseado y buscado a través del tiempo. Este es el ídolo que permite comprar otros dioses menores. Con dinero, las personas pueden comprar poder, sexo, ocio e incluso más dinero. Muchos no se dan cuenta, pero sus vidas son controladas por el dinero. Es fácil para una persona con dinero considerarse a sí misma con el derecho de comprar todo lo que pueda financiar. Frecuentemente esa persona no siente la necesidad de orar y consultar a Dios acerca de una compra porque cuenta con el dinero necesario para comprarlo. Si el dinero es el factor decisivo, entonces actúa, en esencia, como un dios.[38]

Cuando esto ocurre, el ser humano pierde la habilidad de ser responsable con lo que Dios le ha dado. No es de extrañar que la deuda total en tarjetas de crédito en Estados Unidos ascienda a 793 billones de dólares según las estadísticas del Sistema de Reserva Federal.[39] La deuda nacional de Estados Unidos continúa creciendo en un promedio de 2.4 billones de dólares diarios desde el 30 de septiembre de 2012:[40] superó los 19 trillones de dólares en 2016 ($19,805,715,214,641.75 a la fecha de publicación). La deuda de la nación estadounidense es la más grande en todo el mundo (¡Casi supera a la deuda de la Unión Europea, que es una unión económica compuesta por 28 países!).[41]

---

[38] Richard Foster, *Money, Sex and Power* [*Dinero, sexo y poder*], (New York: HarperCollins Publishers, 1985), 19-36.

[39] Federal Reserve, "Credit Card Debt Statistics," ["Tarjetas de crédito y estadísticas de deudas"], recuperado en abril 4 de 2014 de http://www.statisticbrain.com/credit-card-debt-statistics.

[40] "U.S. National Debt Clock", ["El reloj de la deuda nacional de Estados Unidos"], recuperado en mayo 1 de 2014 de http://www.brillig.com/debt_clock/.

[41] Kimberly Amadeo, "What Is The U.S. National Debt and How Did It Get So Big?" ["¿A cuánto asciende la deuda nacional de Estados Unidos y como creció tanto?"], recuperado en abril 4 de 2014 de http://useconomy.about.com/od/fiscalpolicy/p/US_Debt.htm.

El mal presente en una sociedad es solo la expresión de los dioses que sus ciudadanos han estado adorando por años. Dios nos entregó Su ley para que le honremos a Él, pero también la entregó porque una nación no puede prosperar saludablemente si la ignora.

El Tercer Mandamiento: Éxodo 20:7

No tomarás el nombre del Señor tu Dios en vano, porque el
Señor no tendrá por inocente al que tome Su nombre en vano.

En estos tiempos se ha acostumbrado a usar el nombre de Dios de una forma tan común que el Tercer Mandamiento pierde importancia para la mayoría de los ciudadanos, aún en naciones cristianas. Antes el nombre de una persona significaba mucho más de lo que hoy representa. John Walton explica la importancia de esto: "En tiempos antiguos el nombre era equivalente a la identidad de la deidad y expresaba su esencia".[42] Dios dice en Su Palabra que ha engrandecido Su nombre y Su palabra por sobre todas las cosas (Sal 138:2). Y la razón de esto es que Su nombre y Su Palabra representan lo que Él es.

La importancia de este Mandamiento y sus implicaciones en la vida de una nación se fundamentan en el hecho de que el ser humano necesita una autoridad superior a él mismo a quien debe responder. El nombre de Dios nos recuerda nuestra responsabilidad de rendirle cuentas a Él. ¿Ante quién responden los gobiernos del mundo? Ante Dios (Dn 4:25). Cuando las personas toman juramento en la corte o cuando los ciudadanos de una nación dan su palabra en un compromiso, ¿quién es el testigo universal de esas palabras? Dios (Sal 33:3; Heb 4:13). Si el pueblo pierde el temor reverente por el nombre de Dios, perderá el miedo al pecado. Y acto seguido, perderá sus límites. Hubo

---

[42] John Walton, *Ancient Near Eastern Thought and the Old Testament* [*El antiguo pensamiento oriental y el Nuevo Testamento*] (Grand Rapids: Baker Academics, 2006), 156.

un tiempo en el que la mayoría de los ciudadanos del mundo temían practicar abortos porque temían el juicio del Todopoderoso.

Tomar el nombre de Dios en vano equivale a "quitarle sentido al nombre de Dios, o para darle un significado más literal, 'no levantarás el nombre de Dios para nada o sin sentido'".[43] Hoy, las personas hacen mal uso del nombre de Dios cuando juran o lo toman a la ligera. A veces los cristianos hacen mal uso cuando dicen que Dios les ha hablado cuando no es así. No es raro en nuestros días que las personas juren falsamente en la corte o prometan estar juntos hasta que la muerte los separe en el matrimonio, y después, sin ningún remordimiento, rompan esos votos y sufran las consecuencias de sus actos. Los candidatos presidenciales e incluso presidentes que no son cristianos bendicen a los ciudadanos al final de sus discursos para ganar el favor de la gente. Esto es usar el nombre de Dios de manera utilitaria.

El reverendo Robert Schenk, fundador del proyecto Diez Mandamientos, hace una observación interesante en su libro *The Ten Words That Will Change a Nation* [*Las Diez Palabras que cambiarán una nación*]:

> El *consejo nacional del clero*, una asociación de líderes religiosos de todas las prácticas, incluyendo la afroamericana, católica, evangélica y protestante, realizó una profunda revisión de las políticas de la administración de [Bill] Clinton. Determinamos un panel de distinguidos filósofos morales, teólogos e historiadores religiosos que compararon la postura del presidente Clinton en principales temas morales, como la homosexualidad y el aborto, con las enseñanzas de la Biblia al respecto. El panel concluyó: "El presidente Clinton continúa proclamando el nombre de Dios mientras aprueba leyes y acciones que son contrarias a las Escrituras".[44]

---

[43] Phillip Graham Ryken, *Exodus* [*Éxodo*] (Wheaton, IL: Crossway Books, 2005), 579.
[44] Robert Schenck, *The Ten Words That Will Change a Nation: The Ten Commandments* [*Diez palabras que cambiarán una nación: Los Diez Mandamientos*], (Tulsa, OK: Albury Publishing, 1999), 60.

Esta observación es importante por la advertencia "el Señor no tendrá por inocente al que tome Su nombre en vano". Las naciones pueden enfrentar consecuencias divinas como resultado directo del uso del nombre de Dios de forma impía.

El Cuarto Mandamiento: Éxodo 20:8-11

> *Acuérdate del día de reposo para santificarlo. Seis días trabajarás y harás toda tu obra, mas el séptimo día es día de reposo para el Señor tu Dios; no harás en él obra alguna, tú, ni tu hijo, ni tu hija, ni tu siervo, ni tu sierva, ni tu ganado, ni el extranjero que está contigo. Porque en seis días hizo el Señor los cielos y la tierra, el mar y todo lo que en ellos hay, y reposó en el séptimo día; por tanto, el Señor bendijo el día de reposo y lo santificó.*

El día de reposo se instituyó no solo para honrar la creación de Dios y para proporcionarnos descanso (que es importante), sino también para establecer un tiempo especial en el que el pueblo de Dios pudiera detenerse para adorarlo. Si esto no queda claro en Éxodo, al menos sí queda claro en otros pasajes de la Biblia (Lv 23:3; Nm 28:9-10, 25). El día de reposo era un día que le permitía a la comunidad reunirse con este propósito.

Dios ordenó el trabajo para el ser humano desde antes de la caída, y trabajando bajo estas condiciones él encontraría significado y propósito allí. Pero el mismo Dios que ordenó el trabajo para el ser humano también ordenó el día de reposo. No hablaremos en este libro de las diferentes posturas que hay acerca del día de reposo, pero debemos mencionar que existen beneficios para la nación cuando este se practica. Si Dios diseñó la semana de trabajo antes de la caída de cierta manera, es lógico pensar que alterar este diseño tendrá un impacto en nuestras vidas.

La generación actual siempre está cansada porque nunca deja de trabajar. Hoy la gente trabaja para producir más y así poder consumir más. La gente parece disfrutar cuando consume los siete días de la semana, y mientras más consume, mejor. El no tener un día de reposo promueve esta práctica. No es de extrañar que muchos requieran más de un trabajo para continuar y mantener sus gastos. Esta obsesión con el trabajo ha provocado ansiedad, depresión, insomnio y estrés. El aumento en la cantidad de trabajo ha creado hijos que son casi huérfanos, en donde no hay quien cuide de ellos. Un estudio realizado por la compañía de seguros de vida Massachusetts Mutual informa que la mitad de los padres estadounidenses dijeron que no pasan suficiente tiempo con sus hijos.[45]

Además, la violación del Mandamiento referente al día de reposo no facilita la adoración. Robert Schenck, director de Operation Save Our Nation [Operación: Salva a nuestra nación], comenta: "Un día de reposo para adorar, servir y estar con la familia es casi una protección segura contra muchos problemas y una bendición para la sociedad. Las personas que asisten a la iglesia regularmente tienen más probabilidades de casarse, menos probabilidades de divorciarse o de estar solteros y más probabilidades de experimentar satisfacción en sus vidas".[46]

Una enfermedad común hoy en día es la adicción al trabajo. El que sufre de esta enfermedad se ha llamado un "trabajólico". Usualmente trabaja 15 horas al día durante 5 o 6 días; nunca se relaja, ni siquiera cuando está de vacaciones, siempre habla de su trabajo o está pensando en él.[47] No tiene tiempo para una relación con Dios, su esposa o sus hijos. Sus hijos crecen como huérfanos emocionales y muchos de estos matrimonios terminan en divorcio con las consecuencias sociales que

---

[45] Schenck, *The Ten Words* [*Las Diez Palabras*], 79.
[46] Patrick Fagan, "Why Religion Matters: The Impact of Religious Practice on Social Stability" ["Por qué la religión es importante: el impacto de la práctica religiosa en la estabilidad social"], *Heritage Foundation, Backgrounder*, no. 1064, (enero de 1996), 1-21.
[47] Frank Minirth *et al.*, *The Workaholic and His Family: An Inside Look* [*El adicto al trabajo y su familia: una mirada al interior*], (Grand Rapids: Baker Book House, 1985).

esto conlleva. Conociendo nuestras necesidades y debilidades, Dios nos dio un día para descansar.

El Quinto Mandamiento: Éxodo 20:12

Honra a tu padre y a tu madre, para que tus días sean prolongados en la tierra que el Señor tu Dios te da.

¿Por qué escogió Dios una ley que trata de honrar a los padres entre las primeras diez leyes que establecerían a la nación de Israel? Quizás un par de historias de la Biblia nos ayuden a entender la necesidad de esta ley. Cuando el pueblo de Israel pidió un rey en lugar de los jueces, fue una consecuencia directa de hijos que no honraron a sus padres. El pueblo de Israel rechazó a los hijos de Samuel como jueces por su malvado comportamiento. Así quedó registrado:

Entonces se reunieron todos los ancianos de Israel y fueron a Samuel en Ramá, y le dijeron: Mira, has envejecido y tus hijos no andan en tus caminos. Ahora pues, danos un rey para que nos juzgue, como todas las naciones. Pero fue desagradable a los ojos de Samuel que dijeran: Danos un rey que nos juzgue. Y Samuel oró al Señor (1S 8:4-6).

Como consecuencia, Dios permitió que el pueblo eligiera a Saúl como su rey, y durante los siguientes 40 años el pueblo sufrió las consecuencias de tener un rey desobediente, irreverente, inseguro, celoso y terrible que los oprimió de muchas formas. Los hijos de Samuel no honraron a su padre, y eso trajo consecuencias a la nación.

Lo mismo ocurrió cuando los hijos de Elí no honraron a su padre (1S 2–5). Al final, ellos fueron juzgados por su conducta, al igual que Elí por no tratar con sus hijos debidamente: Israel fue derrotado en batalla, los hijos de Elí fueron asesinados y cuando su padre recibió la noticia cayó, se desnucó y murió, y el arca del pacto fue tomada por los filisteos. Los registros bíblicos muestran cómo el comportamiento de los hijos de una sola familia tuvo consecuencias en toda la nación. El reino de Israel se dividió cuando Salomón no honró la memoria de su padre ni mucho menos a Dios, el soberano del universo.

Los padres deben enseñar a sus hijos a honrarles, porque si no honran a quienes les dieron la vida, no honrarán a nadie. Los padres deben prestar atención en cumplir este Mandamiento, porque cada vez que la familia se vuelve caótica, toda la sociedad se desordena. Es imposible tener una sociedad estable, organizada y balanceada si los padres no enseñan a sus hijos la Palabra de Dios. Cuando los hijos honran a su padres, honran también a las autoridades, y esto se refleja en la sociedad.

Los gobiernos han encontrado importante enseñar a los hijos a honrar a sus padres. Por esta razón, algunos países han aprobado leyes que garantizan honor y atención a los padres. Francine Russo publicó un artículo el 22 de julio de 2013 en la revista Time titulado "Atención a los padres de edad avanzada: ¿es necesaria una ley?". Y este es el inicio de la respuesta del autor:

> El gobierno de China así lo considera. Mientras la población de edad avanzada aumenta en todas las sociedades, las leyes que la protegen se vuelven más comunes […] En China una nueva ley que entró en vigor este mes pide a los hijos atender las necesidades físicas y emocionales de sus padres, de lo contrario pueden enfrentar multas o incluso la cárcel. Una mujer, encontrada culpable de no visitar a su madre de 77 años, fue juzgada bajo la ley de protección de los derechos e intereses de las personas de edad avanzada, siendo obligada a visitar a su madre al menos una vez cada dos meses y al menos dos días festivos cada año.[48]

---

[48] Francine Russo, "Caring for Aging Parents: Should There Be a Law?" ["Atención a los padres de edad avanzada: ¿es necesaria una ley?"], *Revista Time*, recuperado en abril 28

Un país ateo tiene el sentido común de legislar a favor de los padres de edad avanzada. China está haciendo esto porque si los hijos no proporcionan esa atención, la responsabilidad caería sobre el Estado, con importantes implicaciones para la nación. Leamos un extracto de un artículo escrito por Kim Willsher publicado en el periódico inglés *The Telegraph* el 15 de febrero de 2004 titulado "'Cuiden a los padres de edad avanzada o habrá consecuencias', Francia advierte a familiares ausentes":

> El gobierno francés castigará a las familias que no mantengan contacto con los familiares de edad avanzada, luego de revelarse estadísticas que muestran que las tasas de suicidio entre los pensionados es de las más altas en Europa. En un país que se enorgullece de contar con valores tradicionales católicos, los ancianos tienen que cuidar de sí mismos y cada semana 62 de ellos se suicidan, de acuerdo con las estadísticas publicadas la semana pasada. Bajo la ley francesa, los hijos adultos deben proveer para sus padres cuando estos no tienen los medios para mantenerse. El artículo 207 del código civil será ajustado para declarar como crimen de los hijos de padres mayores el ignorar su estado de salud y no ayudar cuando se encuentren enfermos. Esto se da después de que hace seis meses 15 mil personas mayores murieron en una ola de calor durante el verano y sus cuerpos permanecieron sin ser reclamados por semanas mientras sus familias disfrutaban las fiestas nacionales.[49]

---

de 2014 de http://healthland.time.com/2013/07/22/caring-for-aging-parents-should-there-be-a-law>.

[49] Kim Willsher, "Look after Aged Parents or Else, France Warns Absent Families" ["Cuidado con los padres de edad avanzada o habrá familias ausentes, advierte Francia"], *The Telegraph*, Telegraph Media Group, recuperado en abril 28 de 2014 de http://www.telegraph.co.uk/news/worldnews/europe/france/1454419/Look-after-aged-parents-or-else-France-warns-absent-families.html.

Cristo habló acerca de esta necesidad mucho antes de que los gobiernos de China y de Francia lo hicieran:

Pero vosotros decís: Cualquiera que diga a su padre o a su madre: Es mi ofrenda a Dios todo aquello con que pudiera ayudarte, ya no ha de honrar a su padre o a su madre. Así habéis invalidado el mandamiento de Dios por vuestra tradición. Hipócritas, bien profetizó de vosotros Isaías, cuando dijo: Este pueblo de labios me honra; mas su corazón está lejos de Mí. Pues en vano me honran, Enseñando como doctrinas mandamientos de hombres (Mt 15:5-9).

La unidad familiar es el primer lugar donde un hijo aprende estos valores y los pone en práctica. La familia es la primera escuela donde los niños aprenden, la primera iglesia donde adoran, el primer hospital en el que son atendidos y la primera sociedad donde interactúan con otros.[50]

El mejor lugar para enseñar honra siempre ha sido el hogar en el que ambos padres están presentes; pero eso no es lo común hoy en día. Las siguientes estadísticas muestran el problema:[51]

1. 63 por ciento de los suicidios en jóvenes son de hogares en los que el padre está ausente.

2. 90 por ciento de los adolescentes que han huido de sus hogares vienen de hogares donde el padre ha estado ausente.

3. 85 por ciento de los niños con desórdenes de conducta vienen de hogares en los que el padre está ausente.

4. 71 por ciento de los jóvenes que abandonan la secundaria provienen de hogares en los que el padre está ausente.

---

[50] Schenck, *The Ten Words*, 88.
[51] U.S. Department of Justice, "What Can the Federal Government Do to Decrease Crime and Revitalize Communities?" ["¿Qué puede hacer el gobierno federal para disminuir el crimen y revitalizar la comunidad?"], *Panel Reports* (enero de 1998), 11.

5. 70 por ciento de los jóvenes en instituciones estatales provienen de hogares en los que el padre está ausente.

6. 75 por ciento de los jóvenes internados en centros de atención de adicciones provienen de hogares en los que el padre está ausente.

7. 85 por ciento de las violaciones motivadas por odio son cometidas por gente que proviene de hogares en los que el padre está ausente.

En estos ambientes familiares los niños no aprenden a honrar a su padre y a su madre.

El Sexto Mandamiento: Éxodo 20:13

No matarás.

Este es el Mandamiento más corto. En hebreo, como en español, son solo dos palabras. Sin embargo la violación de este mandamiento ha traído grandes consecuencias. Como evangélicos no coincidimos con la teología adoptada por Juan Pablo II, pero estamos de acuerdo con lo que dijo en la Octava Jornada Mundial de la Juventud el 15 de agosto de 1993 en el Parque Cherry Creek de Denver, Colorado:

> En este siglo, como en ningún otro tiempo en la historia, la "cultura de la muerte" ha tomado una forma social e institucional de legalidad para justificar los más horribles crímenes contra la humanidad; genocidio, "soluciones finales", "limpiezas étnicas" y "tomar la vida de seres humanos incluso antes de nacer o antes de que alcancen su muerte natural".[52]

---

[52] John Paul II, "Homily of His Holiness John Paul II" ["Homilía de su santidad Juan Pablo II"], misa en el parque estatal Cherry Creek de Denver, 8ª Jornada mundial de la juventud, recuperado en abril 28 de 2014 de http://www.vatican.va/holy_father/john_paul_ii/homilies/1993/documents/hf_jp-ii_hom_19930815_gmg-denver_en.html.

Es cierto que el hombre moderno no sacrifica niños en altares de dioses paganos, pero los sacrifica en el vientre de su madre con la aprobación de millones que adoran a ídolos como la conveniencia, la autorrealización, el egoísmo, la profesión y muchos otros. Albert Mohler escribió en su libro *Los Diez Mandamientos*:

> No solo vivimos en la era de muerte a grandes escalas, sino también en la era de muerte a pequeñas escalas, la muerte microscópica. Vivimos en una era en la que el precepto médico alemán de *Lebensunuwerten*, "vida indigna de ser vivida", se practica entre nosotros. Ahora como sociedad decidimos que una vida es digna de ser vivida […] y que otra vida no lo es. Debatimos decisiones para terminar con la vida, y la eutanasia aboga por una "muerte digna", lo que equivale a permitir legalmente el asesinato.[53]

La vida humana ha sido devaluada y eso se está reflejando en películas de diferentes géneros. Esta declaración de pediatras ilustra el problema:

> La Academia Americana de Pediatría reconoce la exposición a la violencia en los medios de comunicación, entre los que se cuentan la televisión, las películas, la música y los videojuegos, como un importante riesgo para la salud de los niños y los adolescentes. Extensas investigaciones afirman que la violencia en los medios de comunicación contribuye al comportamiento agresivo, la insensibilización, las pesadillas y el miedo a ser atacado. Los pediatras deben evaluar el nivel de exposición a los medios de comunicación de sus pacientes e intervenir en riesgos relacionados con la salud. Pediatras y otros especialistas en niños

---

[53] Mohler, *Words from the Fire*, 126.

deben ser defensores de un ambiente más seguro en los medios de comunicación, promoviendo programas educativos, un uso reflexivo de estos medios por parte de los padres y de sus hijos, una representación más responsable de la violencia por parte de los productores y un uso más efectivo de estos medios.[54]

Bajo el derecho de la "libre expresión" los niños son expuestos a la violencia constantemente. "Cuando un niño cumple 18 años, ha presenciado (en promedio) 200 mil hechos violentos en televisión, incluyendo 40 mil asesinatos".[55] Los asesinatos en las películas se han convertido en una forma popular de entretenimiento. Estas estadísticas son un reflejo de lo que ocurre en nuestra sociedad.

Cada Mandamiento contiene tanto la "letra" de la ley como el "espíritu" de la ley. La "letra" del Sexto Mandamiento es simple: "no matarás", pero el "espíritu" de esta ley es proteger la dignidad y el valor de la imagen de Dios representada en el ser humano. Así que lo que viola la dignidad de la vida humana representa una violación al Sexto Mandamiento.

La insensibilización descrita no solo se ve en la industria del entretenimiento, sino en cada aspecto de nuestra sociedad. Incluso los profesionales de la salud y los especialistas en ética hoy en día han sido afectados por esta nueva moda que avanza con gran rapidez. Uno de los filósofos de mayor influencia en nuestros tiempos, Peter Singer, de la Universidad de Princeton, tiene una fuerte opinión sobre la necesidad de aprobar la eutanasia para niños con discapacidades. Estas son sus palabras:

---

[54] American Academy of Pediatrics, "Media Violence" ["Violencia en los Medios de Comunicación"], *Pediatrics* 108, no. 5 (noviembre de 2001), 1222-1226.
[55] Aletha Huston *et al., Big World, Small Screen: The Role of Television in American Society* [*Mundo grande, pantalla chica: El rol de la televisión en la sociedad americana*], (Lincoln, NE: University of Nebraska Press, 1992).

Ningún niño —discapacitado o no— tiene tanto derecho a la vida como los seres que son capaces de verse a sí mismos como individuos distintos que existen en el tiempo. La diferencia entre matar niños sanos y matar niños con discapacidades no descansa en el derecho a la vida que uno tiene y el otro no, sino en otros aspectos de la muerte. El más obvio es la diferencia que existe en la actitud de los padres. Hoy en día, los padres planean tener un hijo. La madre lo cuida durante nueve meses. Desde el nacimiento, un afecto natural comienza a unir al niño con sus padres. Una importante razón por la que es algo terrible quitarle la vida a un niño es por el efecto que su muerte tendrá en los padres. Pero es diferente cuando el niño nace con una discapacidad importante. Las anomalías congénitas varían. Algunas son mínimas y tienen poco efecto en el niño o en sus padres; pero otras transforman el feliz momento del nacimiento en una amenaza para la felicidad de los padres y de otros hijos. Los padres pueden, con razón, arrepentirse del nacimiento de un niño con discapacidad. En ese caso, el efecto de la muerte del niño en los padres se convierte en una razón a favor y no en contra. Algunos padres quisieran que su hijo viviera el mayor tiempo posible aún con las discapacidades más complicadas, y esto se convierte en una razón en contra de la muerte del niño. ¿Pero qué ocurre si este no es el caso? El discurso que sigue asume que los padres no quieren que el niño discapacitado viva.[56]

Años atrás, pensar así hubiera sido inaceptable, pero en estos tiempos no. Hoy en día tememos más a los profesores que a los alumnos.

Es su libro *The Culture of Death* [*La cultura de la muerte*], el autor Wesley Smith, abogado y consultor para el Grupo de Trabajo

---

[56] Peter Singer, "Taking Life: Humans" ["Quitando la vida humana"], recuperado en abril 28 de 2014 de http://www.utilitarianism.net/singer/by/1993.htm.

Internacional sobre la Eutanasia y el Suicidio Asistido y consultor especial del Centro de Bioética y Cultura comenta:

> Un grupo pequeño pero influyente de filósofos y profesionales de la salud buscan activamente persuadir a nuestra cultura de que matar beneficia, de que el suicidio es racional; la muerte natural no es digna, y brindarle atención adecuada y compasión a personas de edad avanzada, a infantes prematuros, a discapacitados o a desahuciados es una responsabilidad que desperdicia recursos emocionales y económicos.[57]

Esto es un resumen del estado de la sociedad hoy en día.

El aborto es una de las peores consecuencias nacionales de la violación del Sexto Mandamiento. El Center for Disease Control [Centro para el Control de Enfermedades] de Estados Unidos reportó más de 765.651 abortos legales en 2010.[58] Más de 55 millones de niños han sido sacrificados desde que el aborto se volvió legal en 1973.[59] La sangre de estos niños clama a Dios todos los días. La causa de su muerte es el egoísmo, como lo han mostrado muchos estudios. Las razones se que dan para abortar son las siguientes: 1) cuando interfiere con la educación de la mujer, su trabajo o su habilidad para cuidar a sus dependientes (74%); 2) cuando hay dificultades económicas (73%); y 3) cuando la mujer no quiere ser madre soltera o tiene problemas en su relación conyugal (48%). Cuatro de cada diez mujeres dijeron que ya habían completado su tiempo de criar y un tercio dijo que no estaban

---

[57] Richard Doerflinger, reseña de *Culture of Death: The Assault on Medical Ethics in America* [*Cultura de la muerte: Ataque a la ética médica en América*] por Wesley J. Smith, *First Things,* 115 (de agosto a septiembre de 2001), 68-72.

[58] Center for Disease Control, "Abortion Surveillance—United States, 2010" [Vigilancia sobre el aborto—Estados Unidos, 2010], en *Morbidity and Mortality Weekly Report 62* (noviembre 29 de 2013), 1-44.

[59] "Abortion Statistics" ["Estadísticas sobre el aborto"], *NRL News Today.* United States Data and Trends, 2008, recuperado en mayo 2 de 2014, http://www. nationalrighttolifenews.org/news/wp-content/uploads/2012/01/statsre.jpg.

listas para tener uno. Estas fueron las conclusiones de varios investigadores del Instituto Guttmacher en Nueva York.[60]

El párrafo 1 del artículo 4 de la Convención Americana de los Derechos Humanos declara: "Cada persona tiene derecho a que su vida se respete. Este derecho es protegido por la ley y, en general, desde el momento de la concepción. Nadie será arbitrariamente privado de la vida".[61] Incluso esta declaración secular de los derechos humanos entiende que hay una vida humana al momento de la concepción porque los únicos que pueden tener derechos humanos son los seres humanos y estos derechos, según esa declaración, comienzan en el momento de la concepción. Sin embargo, países que han firmado estos tratados han estado violando sus propias palabras.

Cuando la controversia sobre el aborto estaba en su apogeo (del 1960 al 1979 d.C.), el Dr. Jérôme Lejeune, el genetista que describió el síndrome de Down, testificó en varias cortes su posición a favor de la vida humana para beneficio de la sociedad. Se manifestó en contra del aborto en múltiples ocasiones. Su fundación publicó "21 pensamientos acerca del aborto" escritas por este brillante genetista. Leamos dos de sus reflexiones:

15. Algunos dicen: "el costo de las enfermedades genéticas es alto. Si estos individuos hubieran podido ser descartados tempranamente, ¡los ahorros serían enormes!". No podemos negar que el costo de estas enfermedades es alto tanto en el sufrimiento del individuo como en la carga para la sociedad. ¡Sin mencionar el sufrimiento de los padres! Pero podemos asignar un valor a ese

---

[60] Lawrence Finer *et al.*, "Reasons U.S. Women Have Abortions: Quantitative and Qualitative Perspectives" ["Razones por las que las mujeres abortan"], en *Perspectives on Sexual and Reproductive Health [Perspectivas cualitativas y cuantitativas, perspectivas de salud sexual y reproductiva]*, no. 37 (septiembre de 2005), 110-118.

[61] American Convention on Human Rights, "Pact of San Jose, Costa Rica (B-32)", recuperado en mayo 2 de 2014 de http://www.oas.org/dil/treaties_B-32_American_Convention_on_Human_Rights.htm.

costo: es exactamente lo que la sociedad debe pagar para mantenerse humana.

18. Para evitar la provocación de mayor debate, me referiré al pasado. Los espartanos fueron los únicos que eliminaban recién nacidos que creían que iban a ser incapaces de portar armas o de procrear futuros soldados. Esparta fue la única ciudad griega en practicar este tipo de eugenesia, esta eliminación sistemática. Y nada queda de ella: no quedó un solo poeta, ni un solo músico, ¡ni una ruina! ¡Esparta es la única ciudad griega que no contribuyó en nada a la humanidad! ¿Es coincidencia o hay una conexión directa? Los genetistas se preguntan: "¿Se volvieron estúpidos porque mataron sus futuros pensadores y artistas cuando mataron a los bebés que no eran perfectos?"[62]

Éxodo 21:22-25 dice que Dios impuso castigos a cualquiera que golpeara a una mujer embarazada y como consecuencia ella abortara. El Creador y Dador de la vida considera a los que no han nacido como seres humanos vivientes.

Dada la insensibilización de nuestra generación, muchas naciones se preparan para aprobar leyes a favor de la eutanasia. Las primeras en allanar el camino fueron Bélgica y Holanda en 2002, y en la actualidad estas dos naciones ya han aprobado legislaciones para que la eutanasia pueda ser aplicada a los niños. En Holanda, la edad mínima actualmente para pedir la eutanasia es de 12 años. Y en Bélgica, la restricción de edad fue eliminada por completo. Estas leyes solo complicarían aún más el problema.

---

[62] Jérôme Lejeune, "21 Thoughts" ["21 pensamientos"], recuperado en mayo 2 de 2014 de http://lejeuneusa.org/advocacy /21-thoughts-dr-jérôme-lejeune#.U-ircF64mlJ.

El Séptimo Mandamiento: Éxodo 20:14

No cometerás adulterio.

Este Mandamiento es vital para la estabilidad de una sociedad. Hoy en día la mayoría de la gente no lo ve así, por lo que este Mandamiento es violado frecuentemente. Desafortunadamente, este problema no afecta solo a la sociedad no creyente, sino también a la comunidad cristiana. Ya que todos están tratando de redefinir la moralidad, es necesario considerar cómo la Biblia define el adulterio.

El matrimonio es la institución establecida por Dios para representar la unión de Cristo con Su iglesia (Ef 5:31-32). El matrimonio es sagrado por más de una razón: el Dios santo lo instituyó, una ley santa lo regula, y un pacto santo lo sella como unión santa (Cristo y la iglesia).

En la mente de Dios la prohibición del adulterio iba mucho más allá de lo que las personas entendieron. Esa es la pregunta que responde Cristo en el sermón del Monte cuando se refiere a que el hombre comete adulterio con simplemente ver a una mujer para codiciarla (Mt 5:27-28). Ese es el "espíritu" de la ley, que amplía el entendimiento de la "letra". La transgresión comienza en el corazón antes de tomar lugar en el cuerpo. Este Mandamiento fue dado para proteger la santidad del matrimonio contra el divorcio, el cual impacta a toda la familia y, finalmente, a la sociedad misma. Es por eso que unos versículos más adelante Cristo hace una conexión entre el adulterio y el divorcio: "También se dijo: 'Cualquiera que repudie a su mujer, que le dé carta de divorcio'. Pero Yo os digo que todo el que se divorcia de su mujer, a no ser por causa de infidelidad, la hace cometer adulterio; y cualquiera que se casa con una mujer divorciada, comete adulterio" (Mt 5:31-32).

Frecuentemente el adulterio lleva al divorcio, especialmente en un tiempo en el que nuestros derechos son considerados mayores a nuestros votos. Por tanto, es importante considerar las consecuencias del divorcio. Hay varias maneras en que el divorcio perjudica a la sociedad.

En primer lugar, el matrimonio representa la unión de Cristo con Su iglesia. Si la santidad de esa unión no es honrada, ningún otro tipo de unión será respetada. La conciencia se insensibiliza al pecado, y progresa de un pecado a otro. El matrimonio es un pacto entre dos personas que se aman. Si una persona no mantiene ese pacto, ¿existe algún otro pacto social que cumpliría? Si no valora a su cónyuge y en muchos casos a sus hijos, ¿valorará a sus vecinos, amigos, clientes, pacientes o socios?

Otro daño que hace a la sociedad es que el divorcio frecuentemente deja a los hijos huérfanos de un padre, de una madre o de ambos. Las consecuencias en estos niños son espantosas, como podemos ver en los siguientes estudios: "Un análisis de 19 mil estadounidenses publicado en línea por la Universidad de Toronto en *Journal of Public Health* [*Revista de Salud Pública*] reveló que los hijos de padres divorciados son mucho más propensos a empezar a fumar en comparación con sus compañeros de familias no divorciadas".[63]

La Dra. Lisa A. Strohschein reportó en la *Revista de la Asociación Médica Canadiense* que los hijos de padres divorciados tienen un mayor riesgo de requerir el uso de Ritalin (Metilfenidato, un medicamento para niños con déficit de atención) que los hijos de padres que permanecen juntos.[64] Hyun Sik Kim, sociólogo de la Universidad de Wisconsin-Madison, encontró varios efectos negativos en niños de padres

---

[63] Esme Fuller-Thomson, J. Filippelli y C. A. Lue-Crisostomo, "Gender-Specific Association between Childhood Adversities and Smoking in Adulthood: Findings from a Population-Based Study" ["Asociación entre adversidades en la niñez y fumar en la adultez: resultados de un estudio poblacional"], en *Journal of Public Health, no. 127* (mayo de 2013), 401-500.

[64] Lisa Strohschein, "Prevalence of Methylphenidate Use among Canadian Children Following Parental Divorce" ["Prevalencia del uso de metilfenidato en niños canadienses de padres divorciados"], *Canadian Medical Association Journal 176, no. 12* (junio 5 de 2007), 1711-14.

divorciados. Los más importantes fueron: 1) caída en las calificaciones de matemáticas antes y después del divorcio de los padres, 2) un efecto negativo en habilidades interpersonales y 3) un efecto negativo pronunciado en el comportamiento interno: eran más propensos a sufrir de ansiedad, soledad, baja autoestima y tristeza.[65]

Jane Mauldon, de la Escuela de Ciencias Políticas de la Universidad de California, reportó que "los hijos de padres divorciados o separados están en mayor riesgo de enfermarse que los niños criados en familias de núcleos tradicionales".[66]

También existe una conexión entre el suicidio y el homicidio con el divorcio. "Un análisis de estudios llevados a cabo durante un tiempo determinado de la asociación entre indicadores sociales y las tasas de suicidio y homicidio en Estados Unidos de 1945 a 1984, y un análisis ecológico (análisis de factores modificantes de riesgos) de las mismas variables en los estados continentales, reveló que solo las tasas de divorcio se asociaban consecuentemente con las tasas de suicidio y homicidio (positivamente con ambas tasas)".[67]

No es sorprendente que los hijos de padres divorciados sean más propensos al uso de drogas y alcohol durante la adolescencia de acuerdo con Judith Wallerstein, quien cuenta con gran experiencia en este campo.[68]

Imaginen los estragos de estas consecuencias en una nación donde el adulterio y el divorcio son tan comunes como ahora. Cuando

---

[65] Hyun Sik Kim, "Consequences of Parental Divorce for Child Development," ["Consecuencias del divorcio en el desarrollo de los niños"] *American Sociological Review 76, no. 3* (2011), 487–511.

[66] Jane Mauldon, "The Effects of Marital Disruption on Children's Health," ["El efecto de la ruptura marital en la salud de los niños"], *Demography 27, no. 3* (agosto de 1990).

[67] David Lester, "Time-Series Versus Regional Correlates of Rates of Personal Violence" ["Correlación en tiempo y región de las tasas de violencia personal"] *Death Studies 17* (1993), 529–34.

[68] Judith Wallerstein, Julia Lewis y Sandra Blakeslee, *The Unexpected Legacy of Divorce: A 25-Year Landmark Study* [*El legado inesperado del divorcio: Estudio de 25 años*], (New York: Hyperion, 2000).

Dios estableció leyes para el pueblo de Israel, protegió el matrimonio al prohibir el adulterio. La protección del matrimonio se encuentra en las primeras diez leyes que Israel recibiría. Esto nos muestra la importancia del matrimonio ante los ojos de Dios y su lugar en el establecimiento de la sociedad.

El Octavo Mandamiento: Éxodo 20:15

No hurtarás.

Robar ha sido un problema desde tiempos inmemoriales, y los códigos morales de culturas antiguas lo tomaron en cuenta. El código Hammurabi en Babilonia, por ejemplo, trata severamente con todo tipo de robo.[69] La existencia de leyes morales en culturas no cristianas habla a favor de un Legislador moral y de la inscripción de Su ley en la conciencia humana. Sin embargo, una diferencia entre el código Hammurabi y la ley de Dios es que en esta última el castigo por el crimen era el mismo para todos y, por lo tanto, más justo. No fue así en Babilonia, donde los ciudadanos influyentes tenían trato preferencial en cuanto a la ley en casos de robo. La ley de Dios es la misma para todos porque cada ser humano porta Su imagen y la violación de la ley está directamente relacionada con Su santidad y el valor de cada vida humana.

Desde el principio de los tiempos, Dios legisló leyes para proteger la propiedad privada, no porque Dios favoreciera el sistema capitalista, sino porque Dios sabe que ante la naturaleza pecaminosa del hombre, sin el respeto a la propiedad y el espacio privado, la sociedad sería una anarquía.

En 2011 la National Retail Security Survey [Encuesta Nacional de Seguridad de la Venta al por Menor] encontró que "se pierden aproximadamente 35.28 billones de dólares anuales como consecuencia

---

[69] *The International Standard Bible Encyclopedia* [*La enciclopedia estandard internacional de la Biblia*], (Grand Rapids: William B. Eerdmans Publishing Company, 1982), 2:604-8.

directa de prevenibles asuntos de inventario, con un 44.2 por ciento atribuido al robo de empleados, un 25.8 por ciento al robo de supuestos clientes incluyendo el crimen organizado, y un 12.1 por ciento a errores administrativos".[70] Además, de acuerdo a la compañía de seguros de responsabilidad civil BOLT, "los empleados malgastan demasiado tiempo en tareas no relacionadas con el trabajo", lo que se refleja en un pérdida de 134 billones de dólares en productividad.[71]

Un importante estudio publicado por James Patterson y Peter Kim en el libro ya citado *El día en que Estados Unidos dijo la verdad* aplicó una encuesta en los cincuenta estados y reveló que casi el 50 por ciento de los trabajadores admitieron fingir enfermedades para evitar el trabajo durante un día, y en algunos casos hasta por una semana.[72] Esto es mentir, pero también es robar, ya que los empleados reciben pago por un trabajo que no realizaron.

La evasión de impuestos se ha estimado en 3 trillones de dólares durante la primera década de este siglo.[73] Esta es una cifra impresionante. Mucha gente piensa que quedarse con dinero del gobierno no es lo mismo que robar porque el gobierno es corrupto de todas maneras.

Robar a compañías privadas, malgastar tiempo y recursos en el trabajo y robar al gobierno son tres áreas en las que podemos ver lo que la violación a este Octavo Mandamiento trae como consecuencia a cualquier país. Las compañías comprarán seguros para protegerse del robo

---

[70] Tyco Press Release, "National Retail Security Survey Reveals U.S. Retail Industry Lost More Than $35.28 Billion to Theft in 2011" ["Encuesta nacional de seguridad de la venta al por menor revela pérdidas de la industria de más de $35.28 billones debidas a robo en 2011"] recuperado en agosto 10 de 2014 de http://investors.tyco.com/phoenix.zhtml?c=112348&p=irol-newsArticle&ID=1762020&highlight.

[71] Eleazar David Meléndez, "Workers Wasting Time Cost U.S. Employers $134B in Lost Effort: Infographic" ["Desperdicio de tiempo de los empleados reflejan $134 billones en pérdidas en Estados Unidos"] *International Business Times*, recuperado en agosto 10 de 2014 de http://www.ibtimes.com /workers-wasting-time-cost-us-employers-134b-lost-effort-infographic-90333.

[72] Patterson y Kim, *The Day America Told the Truth*, 155.

[73] DEMOS, "Federal Revenue Lost To Tax Evasion" ["Pérdida federal de ingresos por evasión de impuestos"] recuperado en mayo 5 de 2014 de http://www.demos.org/databyte/federal-revenue-lost-tax-evasion.

y esto aumentará el precio de sus productos. Los jefes pagarán menos a sus empleados, sabiendo que muchos de ellos malgastan su tiempo. Y los gobiernos incrementan los impuestos a todos los ciudadanos para compensar por los impuestos evadidos. No podemos violar la ley de Dios sin sufrir consecuencias personales y nacionales.

El Noveno Mandamiento: Éxodo 20:16

No darás falso testimonio contra tu prójimo.

En el jardín del Edén, la serpiente (Satanás) mintió a Adán y Eva; ellos le creyeron, y la humanidad ha estado mintiendo desde entonces. Dios dijo: "Todo hombre es mentiroso" (Sal 116:11) Estas palabras son preocupantes pero ciertas. ¿Quién puede argumentar contra Dios?

Nuestra cultura se caracteriza por la falsedad; la mentira impregna todas las áreas y todos los estratos de la sociedad. Con el impacto de la generación posmoderna, esta maldad solo ha empeorado. Sin valores absolutos nadie cuenta con un estándar para juzgar. La crisis moral actual solo contribuye con la insensibilización de los ciudadanos del mundo a toda clase de maldad, incluyendo la mentira. A muy pocos les interesa vivir con integridad. De hecho, una investigación realizada por el grupo Gallup en 2005 reveló que el 59 por ciento de los norteamericanos creen que para ser exitoso hay que estar dispuesto a hacer lo que sea, y el 42 por ciento dijo que para ser exitoso hay que mentir.[74]

De acuerdo al estudio publicado por Patterson y Kim, el 91 por ciento de los norteamericanos miente con regularidad; hombres más que mujeres y jóvenes más que los adultos. Los autores concluyeron que mentir se ha convertido en un rasgo cultural de Estados Unidos. Mentir forma parte del carácter nacional: "La mayoría de los estadounidenses de hoy en día (dos de cada tres) piensa que mentir no tiene

---

[74] Norman Geisler y Randy Douglas, *Integrity at Work*, (Grand Rapids: Baker Books, 2007), 14.

nada de malo. Solo el 31 por ciento cree que la honestidad es la mejor norma".[75] Esta conclusión coincide con un comentario publicado en un artículo del periódico *Chicago Sun Times* del 28 de agosto de 1987, el cual inicia con estas palabras:

> A medida que el año de mentiras se desvanece, los afectados –el pueblo estadounidense en su totalidad— se ocupan en juzgar los resultados del engaño. Las personas mienten todo el tiempo, pero en 1987 personas tan diferentes como Jim Bakker, Gary Hart, Joe Niekro y el teniente coronel Oliver L. North hicieron de las mentiras un tema sobresaliente. Las mentiras crean tanto víctimas como problemas para las víctimas. "No mientas" es probablemente el primer consejo moral que recibe un niño de sus padres, de sus maestros, de sus predicadores y de Dios. La mentira rompe el pacto de confianza que existe entre humanos. Jesús le hizo un gran cumplido al poder de la mentira cuando llamó al mismo diablo el "padre de mentira". Filósofos como Immanuel Kant se enfocaron en la mentira como la prueba básica de moralidad general.[76]

Aquí se reconoce la extensión de esta maldad al final del siglo pasado. La lista de nombres mencionados incluye un pastor (Bakker) y un oficial del ejército (North). Uno no esperaría que representantes de estas áreas estuvieran en una lista de mentirosos. Sus acciones tuvieron consecuencias nacionales e incluso repercusiones internacionales. En el caso del "Iran-Contra Affair" (North) Estados Unidos vendió armas secretamente a un país que tenía un embargo de armas.[77] Jim Bakker

---

[75] Patterson y Kim, *The Day America Told the Truth*, 49.

[76] Martin Marty, "The Year of the Lies" ["El año de las mentiras"], *Chicago Sun-Times*, recuperado en agosto 28 de 1987 de http://www.highbeam.com /doc/1P2-3842400.html.

[77] Kenneth E. Sharpe, "The Real Cause of Irangate" ["La verdadera causa del conflicto en Irán"], *Foreign Policy, no. 68* (otoño de 1987), 19–41.

vendió "acciones exclusivas" a más clientes de lo que podía incluir y recaudó más del doble de dinero necesario para construir un hotel.[78]

En el Antiguo Testamento la pena de muerte era aplicada solo después de escuchar el testimonio de dos o tres testigos, restringiendo las mentiras que pudieran terminar con la vida de una persona (Nm 35:30; Dt 17:6; 19:15). Mentir bajo juramento (perjurio) era considerado una ofensa grave antes de que el presidente Bill Clinton fuera acusado de ello. Esto es lo que Dios estableció sobre el falso testimonio:

> Si un testigo falso se levanta contra un hombre para acusarle de transgresión, los dos litigantes se presentarán delante del Señor, delante de los sacerdotes y de los jueces que haya en esos días. Y los jueces investigarán minuciosamente; y si el testigo es un testigo falso y ha acusado a su hermano falsamente, entonces le haréis a él lo que él intentaba hacer a su hermano. Así quitarás el mal de en medio de ti. Los demás oirán y temerán, y nunca más volverán a hacer una maldad semejante en medio de ti. Y no tendrás piedad: vida por vida, ojo por ojo, diente por diente, mano por mano, pie por pie (Dt 19:16-21).

La vida de un país sufre cuando la mentira forma parte de su carácter. Ninguna sociedad puede prosperar cuando la falsedad forma parte de la cultura nacional. Dios lo sabe, y Satanás también. Dios es la fuente de verdad; de hecho Dios es "la verdad" (Jn 14:16) y Satanás es el padre de la mentira (Jn 8:44).

Cada generación ha visto las consecuencias nacionales de mentir después de la Caída. Candidatos presidenciales han ganado elecciones basados en promesas y encuestas falsas, y presidentes han dejado el poder por la misma razón, como fue el caso de Richard Nixon en el

---

[78] Jim Bakker, *I Was Wrong* [*Estaba equivocado*], (Nashville: Thomas Nelson, 1996).

escándalo de *Watergate*. Personas han recibido la pena de muerte por el falso testimonio de testigos y negocios han caído en bancarrota por la falsificación de documentos. En 2001 la corporación Enron se declaró en bancarrota debido a prácticas de contabilidad falsas y fraudulentas. Esta fue la quiebra más grande de la historia en Estados Unidos hasta ese momento (sucedió en 2001 y dejó más de 63 billones de dólares en pérdidas). Al año siguiente (2002) WorldCom se declaró en bancarrota en medio de un gran escándalo con pérdidas estimadas en 104 billones de dólares. Investigaciones posteriores demostraron que otras compañías seguían las mismas prácticas. Estas quiebras causaron una importante crisis financiera, pero al fin de cuentas, la crisis principal fue una crisis de integridad.[79]

El Décimo Mandamiento: Éxodo 20:17

No codiciarás la casa de tu prójimo; no codiciarás la mujer de tu prójimo, ni su siervo, ni su sierva, ni su buey, ni su asno, ni nada que sea de tu prójimo.[80]

Este Mandamiento de alguna forma es diferente a los demás, ya que prohíbe una actitud del corazón. Los otros nueve se dirigen a acciones externas, pero este se refiere al deseo del ser humano pecador por obtener más. Codiciar es, según Thomas Watson, "un insaciable deseo por conseguir el mundo".[81] Es un deseo egoísta que se puede salir de control. En los últimos cincuenta años la codicia se ha vuelto normal en la vida cotidiana, y sus consecuencias están aquí para quedarse.

---

[79] Stephen Carter, *Integrity* [*Integridad*] (New York: Harper Collins, 1996), 7

[80] La mayoría de la información presentada en esta sección está basada en un artículo que recientemente escribí para la revista *IX Marks*. Miguel Núñez, "Why the Prosperity Gospel Prospered" ["Por qué el evangelio de la prosperidad prosperó"], *IX Marks Journal,* (enero-febrero de 2014), recuperado de http://www.9marks.org/journal/why-has-prosperity-gospel-prospered.

[81] Thomas Watson, *The Ten Commandments* [*Los Diez Mandamientos*], (Edinburgh: Banner of Truth, 1965), 174.

La mayoría de los analistas coinciden que la década de los sesenta fue una muy difícil, caracterizada por la rebeldía, el deseo de independencia, el placer y la perspectiva del "aquí y ahora" en el mundo. La cultura de esa década produjo una cosmovisión narcisista; y por lo tanto, todos pensaron que debían obtener lo que querían cuando lo querían porque creían que ser felices era su derecho. Si el gobierno puede proporcionarlo, otros deben hacerlo, y si no lo hacen, Dios, quien creó al hombre, debe suplirlo. "Vivimos en un tiempo en el que la sentencia de G. K. Chesterton se vuelve realidad: La falta de significado no viene porque estamos cansados de sufrimiento, sino porque estamos cansados de placer". Nos hemos agotado en esta cultura siendo indulgentes con nosotros mismos.[82]

En 1999 Angus Maddison publicó un artículo llamado "Pobre hasta 1820", donde explica que "después de la caída del Imperio Romano, el occidente estuvo en recesión durante mil años. Después de la revolución industrial, debido a la producción en masa, el ingreso *per cápita* empezó a crecer continuamente".[83] A medida que la producción incrementaba, también aumentaron las opciones para satisfacer los gustos de la gente. Sin duda alguna, este auge económico influyó hacia un estilo de vida materialista. Las estrategias de mercadología están diseñadas para vender productos basadas en el nivel de satisfacción que traen a los consumidores. Por lo tanto, "entre más tenga, más feliz seré".

Pocos años atrás, las personas todavía pensaban que podían conseguir prosperidad mediante trabajo arduo, pero ya no es así. Después del impacto de los años sesenta, las personas se sienten con el derecho de vivir cómodamente sin mucho esfuerzo y sin tener que esperar. Para

---

[82] Ravi Zacharias, "An Ancient Message: Through Modern Means to a Postmodern Mind" ["Un mensaje antiguo: Mediante recursos modernos a la mente posmoderna"], en D. A. Carson (ed.), *Telling the Truth* [*Diciendo la Verdad*] (Grand Rapids: Zondervan, 2000), 28.

[83] Angus Maddison, "Poor until 1820" ["Pobre hasta 1820"], en *Wall Street Journal*, (enero 11 de 1999).

los más depravados de la cultura, el tráfico de drogas ha sido el rumbo a seguir; para los que se hacen llamar cristianos, el camino es el evangelio de la prosperidad.

La gente siempre ha sido codiciosa, pero con la pérdida de las restricciones morales, la población de hoy en día quiere "dinero fácil", y para obtenerlo están dispuestos a mentir, robar, alterar sus antecedentes[84] y falsificar información sobre pérdidas y ganancias. Todo esto ha llevado a importantes bancarrotas y crisis financieras. "No codiciarás" es un Mandamiento que protege a la sociedad.

Conclusión

Este es un capítulo acerca de la nación estadounidense y su moral a la deriva y al mismo tiempo es una advertencia a Latinoamérica acerca de las consecuencias de alejarse de la ley de Dios. Como hemos repetido, la ley no nos salva, pero sí nos refleja el carácter justo de Dios y lo que le agrada. Las naciones y sus leyes pueden acercarse o alejarse de los estándares divinos. En un momento de la historia, mientras cada líder laico ruso declaraba que no hay Dios, los billetes estadounidenses proclaman el eslogan "en Dios confiamos", el cual apareció en las monedas por primera vez en 1864[85] y en los billetes en 1957.[86] Por otro lado, el Juramento a la Bandera declara "Una nación bajo Dios" desde 1954. Sabemos que estas frases no reflejan las vidas de los ciudadanos estadounidenses,

---

[84] Associate Press, "Radio Shack CEO Resigns Amid Resume Questions," ["Oficial ejecutivo en jefe de Radio Shack renuncia en medio de preguntas sobre antecedentes"], *USA Today* (febrero 20 de 2006).

[85] U.S. Department of the Treasury, "History of In God We Trust" ["Historia de En Dios confiamos"], recuperado en agosto 13 de 2014 de http://www.treasury.gov/about/ education/Pages/in-god-we-trust.aspx.

[86] United States District Court, Southern District of West Virginia, "The Pledge of Allegiance and Our Flag of the United States: Their History and Meaning" ["El juramento a la bandera y la Bandera de Estados Unidos: Su historia y significado"], recuperado en agosto 13 de 2014 de http://wayback.archive.org/web/20060923131158/ http://www.wvsd.uscourts.gov/outreach/Pledge.htm.

pero describen la conciencia de la nación hasta hace pocos años atrás, o por lo menos reflejan la influencia cristiana de su pasado.

Los países que actualmente son influenciados por la Palabra de Dios en Latinoamérica necesitan prestar atención a la historia de Estados Unidos. Como nación fuertemente influenciada por la verdad de Dios en sus inicios, de contar con la aprobación del cristianismo, una conciencia cristiana o una influencia cristiana (según las diferentes opiniones), Estados Unidos ha pasado a ser enemiga de los principios que una vez defendió.

Los cristianos debemos tener una fuerte influencia donde Dios nos ha puesto, en todas las áreas de la vida. Y una de esas áreas se relaciona a las leyes del país. Cuando esto no sucede, las personas (creyentes y no creyentes) sufrirán las consecuencias como se ha demostrado en este capítulo. Las palabras de Santiago (Stg 1:25) son ciertas: la ley de Dios es la ley de libertad. Nos libra del pecado y de sus consecuencias.

Los líderes evangélicos necesitan seguir predicando la Palabra de Dios en Latinoamérica, donde Dios está moviendo nuevamente. El pueblo de Dios no puede quedarse callado. Los ateos, rebeldes, irreverentes, falsos maestros y "evangelistas" seculares seguirán levantando sus voces. Que Dios nos dé el valor para proclamar y vivir Su verdad "en medio de una generación torcida y perversa" (Fil 2:15).

5

UN LLAMADO
a los pastores
latinoamericanos

esde el comienzo de este capítulo, me gustaría afirmar que lo expresado en él es mi "grito de batalla", mi toque de trompeta para llamar las tropas en América Latina a pelear la buena batalla por Cristo y Su reino. Habiendo establecido y revisado el poder de la Palabra de Dios para transformar la sociedad, la lección que aprendimos del libro de los Hechos y en la historia de Estados Unidos, me gustaría, en este capítulo, apelar para que los pastores latinoamericanos traigan el poder transformador de la Palabra de Dios a la sociedad de nuestros días. Mi esperanza es que las ideas expresadas puedan cautivar los corazones de muchos predicadores en nuestra región y así podamos trabajar juntos para Su causa, para un mejor reflejo de la gloria de Dios en el mundo de habla hispana.

Como dije en capítulos previos, el movimiento de la Reforma pasó por alto a América Latina, y eso explica por qué ahora, quinientos años después, nuestras naciones latinoamericanas están experimentando un avivamiento al entender las doctrinas de la gracia por primera vez. Además de esto, el continente está experimentando un nuevo deseo por la Palabra de Dios. Muchos dentro del pueblo de Dios han sido espiritualmente malnutridos por años y se encuentran desesperados por encontrar comida espiritual; otros que no conocen a Cristo parecen estar respondiendo a la predicación del evangelio.

Sin duda que algo nuevo está sucediendo entre los latinos. Por esa razón particular, quiero recordar las palabras del apóstol Pablo: "Por tanto, tened cuidado cómo andáis; no como insensatos, sino como sabios, aprovechando bien el tiempo, porque los días son malos" (Ef 5:15-16). La palabra "tiempo" usada en este texto, proviene de la palabra griega *kairós*, cuyo significado es, de acuerdo con el *New Dictionary of Biblical Theology* [*Nuevo diccionario de teología bíblica*], "un momento *oportuno* (Col 4:5) o *favorable* (Hch 24:25), pero también puede señalar *tiempo presente* o un *tiempo limitado*".[1] Las palabras de Pablo aquí son muy importantes porque Dios le ha dado al hemisferio sur una ventana de oportunidad (*kairós*) para experimentar Su gracia y un avivamiento. Por tanto, los que estamos en América Latina, como parte del nuevo centro de gravedad del cristianismo, debemos aprovechar la oportunidad dada por Dios y ministrar a las personas sabiamente. Debemos invertir el tiempo de la mejor manera posible, reconociendo que los días son malos y que América Latina está en medio de una nueva obra de Dios la cual requerirá acción y sabiduría. Estos días son malos; lo eran en tiempos del apóstol Pablo; lo son hoy y continuarán siéndolo hasta el regreso de Cristo.

Pero como los cristianos hemos sido llamados a ser sal y luz en medio de una generación torcida y perversa, como lo dice Pablo (Fil 2:15), es necesario cumplir nuestra responsabilidad hasta sus últimas consecuencias. El viento del cielo parece estar soplando favorablemente. Así que levántate y abraza Su causa de una forma que sea digna de nuestro llamado. Este tiempo requiere hombres de Dios, dispuestos y capacitados para predicar el evangelio de Dios valientemente.

---

[1] R. Banks, "Time" ["Tiempo"], en Desmond Alexander, Brian Rosner, Donald Carson, Graeme Goldsworthy, (eds.), *New Dictionary of Biblical Theology* [*Nuevo diccionario de teología bíblica*] (Downers Grove, IL: InterVarsity Press, 2000).

El líder del momento

El cristianismo está actualmente en medio de una crisis de liderazgo, y esta crisis no es nueva. Ha estado presente por los menos en los últimos veinte o treinta años.[2] Esto aún podría ser la consecuencia de lo que se vivió entre 1960 y 1970 en Estados Unidos. En el caso de América Latina, el problema es aún más profundo y prolongado. Como latinos no tenemos una gran tradición en la formación de líderes. Nuestras naciones latinas han sido regidas por un liderazgo dictatorial durante muchos años[3] y el mismo patrón ha sido copiado en muchas iglesias.[4] Sin embargo, la Biblia hace un llamado a una clase de liderazgo muy diferente. Pedro instruye:

> A los ancianos entre vosotros, exhorto yo, anciano como ellos y testigo de los padecimientos de Cristo, y también participante de la gloria que ha de ser revelada: pastoread el rebaño de Dios entre vosotros, velando por él, no por obligación, sino voluntariamente, como quiere Dios; no por la avaricia del dinero, sino con sincero deseo; tampoco como teniendo señorío sobre los que os han sido confiados, sino demostrando ser ejemplos del rebaño. (1P 5:1-3).

Timothy S. Laniak comenta sobre este pasaje: "Pedro recuerda a los ancianos que la naturaleza del liderazgo entre los seguidores de Jesús es la de un servicio con *sincero deseo* (*prothymōs*, 1P 5:2). Haciendo

---

[2] Walter Shapiro, "What's Wrong: Hypocrisy, Betrayal and Greed Unsettle the Nation's Soul" ["Lo incorrecto: hipocresía, traición y codicia trastornan el alma de la nación"], *Revista Time* (Mayo 25 de 1987), 14.

[3] Emilio Núñez y William Taylor, *Crisis in Latin America* [*Crisis en América Latina*] (Chicago: Moody Press, 1989), 75-76.

[4] David Stoll, *Is Latin America Turning Protestant?* [*¿América Latina se está convirtiendo en protestante?*] (Berkeley: University of California Press, 1990), 36-37; 109-110.

eco del desdén del Señor por los gobernantes déspotas, el apóstol rechaza que los líderes ejerzan *señorío* (*katakyrieuo*, 1P 5:3)".[5]

Jesús enseñó y ejemplificó un liderazgo basado en el servicio, es decir, un liderazgo que guía a través del ejemplo, no de la imposición. Un verdadero líder debe estar más interesado en servir a Dios antes que a sí mismo. El líder de este momento histórico necesita reconocer que él es solamente un administrador "de los misterios de Dios" (1Co 4:1). Este es un hombre que reconoce que en Cristo tenemos Sus promesas y que en el evangelio tenemos Su poder. La sumisión a Dios es la clave para el liderazgo que Él requiere, lección que aprendemos de Génesis 2. Fue la falta de sumisión la que llevó a Adán a perder su liderazgo ante el soberano Creador. Un líder del pueblo de Dios debe hacer a un lado sus propósitos y enfocarse en los propósitos de Dios, porque su responsabilidad es mover a las personas de donde están y llevarlas hacia donde Dios quiere que estén.[6]

América Latina no puede ser dirigida en la dirección de los sueños o de la imaginación porque no funcionará. Como George MacDonald (1824-1905 d. C.), novelista, poeta y ministro cristiano escocés, dijo: "Lo que el ser humano haga sin Dios, fracasará miserablemente —o tendrá éxito aún más miserablemente".[7] Un hombre no debería atreverse a tomar el liderazgo si no es guiado por Dios; ese principio por sí solo pone una gran responsabilidad sobre sus hombros y lo anima a buscar a Dios constantemente mientras guía el rebaño de Cristo.

El apóstol Pablo era tan consciente de cuán grande es este privilegio que dijo a los ancianos de la iglesia en Éfeso: "Tened cuidado de vosotros y de toda la grey, en medio de la cual el Espíritu Santo os ha

---

[5] Timothy Laniak, *Shepherds after My Own Heart* [*Pastores detrás de mi corazón*] (Downers Grove, IL: InterVarsity Press, 2006), 233.

[6] Henry Blackaby, *Spiritual Leadership* [*Liderazgo espiritual*] (Nashville: Broadman & Holman Publishers, 2001), 20, 23.

[7] George MacDonald, *Unspoken Sermons* [*Sermones no predicados*], (Charleston, SC: CreateSpace Independent Publishing Platform, 2009), 245.

hecho obispos para pastorear la iglesia de Dios, la cual Él compró con Su propia sangre" (Hch 20:28). Tres observaciones son dignas de mencionar sobre este mandamiento: la primera, los ancianos son llamados por el Espíritu Santo; la segunda, los ancianos deben ser cuidadosos con sus propias vidas; y la tercera, la iglesia que cuidan ha sido comprada con la sangre de Cristo. Si estas cosas no llevan al líder a la reflexión, nada más lo hará. David Peterson expresó su entendimiento sobre este versículo en su *Comentario del libro de Hechos*:

> Tal lenguaje sugiere que la iglesia en Éfeso le pertenecía a Dios como un objeto personal, habiendo sido comprada [*periepoiē-sato*] o adquirida a un costo muy alto [...] Cada congregación traída a la existencia por la obra redentora de Cristo es preciosa para Dios y debe ser tratada como tal por los líderes que Él ha establecido.[8]

Guiar a las personas es una responsabilidad enorme. Guiar a los que pertenecen a Dios es una responsabilidad aún mayor, pero guiar a quienes han sido comprados por la sangre de Dios es el mayor privilegio y la tarea más grande por la que un líder dará cuentas (Heb 13:17).

El líder del momento debe también percatarse de que guía al pueblo de Dios con una sola meta: la gloria de Dios. El apóstol Pablo enfatiza esta verdad cuando dice que somos salvos "para alabanza de Su gloria" (Ef 1:12, 14) y "para la alabanza de la gloria de Su gracia" (Ef 1:6). Si América Latina desea ver la mano de Dios moviéndose poderosamente en medio de ella, deberá dejar atrás el enfoque antropocéntrico del ministerio cristiano y adoptar el punto de vista teocéntrico: glorioso, majestuoso y trascendental. "En una de sus cartas a Erasmo, Lutero dijo: 'Tus pensamientos sobre Dios son demasiado

---

[8] David Peterson, *The Acts of the Apostles* [Los Hechos de los apóstoles], (Grand Rapids: William B. Eerdmans Publishing Company, 2009), 569.

humanos"'[9] y lo mismo podría decirse en general del Dios que está siendo proclamado en muchas iglesias, especialmente en el mundo latino. Si hubo algo que el movimiento de la Reforma (que nunca llegó a América Latina) hizo adecuadamente, fue la proclamación de la majestad y gloria de Dios.[10] El punto de vista teocéntrico de Juan Calvino probablemente lo hizo el reformador más influyente.[11] Steven Lawson afirma: "Todos los sermones de Calvino eran centrados en Dios, pero sus apelaciones finales eran especialmente apasionadas. Él no podía bajarse del púlpito sin exaltar al Señor y animar a sus oyentes a buscar Su absoluta supremacía".[12]

Le teología reformada elevó la vista de los hombres a lo más alto de los cielos. La teología arminiana, por definición, no puede hacer eso y, sin embargo, es la teología que predomina en el mundo evangélico latino. Es imperante que las doctrinas que transformaron a Europa durante y después de la Reforma sean predicadas aquí por personas con la misma pasión y devoción de los antiguos. Respecto a esta pasión, R. C. Sproul declara: "A lo largo de todas las obras de los grandes predicadores y maestros de la iglesia se encuentra el gran tema de la majestad de Dios. Estos se postraron ante el asombro de Su santidad. Esta postura de reverencia y adoración se encuentra también en las páginas de las Escrituras".[13]

Fue la pasión por la gloria de Dios lo que terminó por transformar a la sociedad. Como Timothy George declara: "Zuinglio y Calvino

---

[9] Arthur Pink, *Gleanings in the Godhead* [*Recolecciones sobre la divinidad*] (Chicago: Moody Press, 1975), 28.

[10] Scott Amos, *Revolutions in Worldview:Understanding the flow of Western Thought* [*Revoluciones de la cosmovisión: Comprendiendo el pensamiento occidental*] (Phillipsburg, NJ: P&R Publishing, 2007), 207.

[11] Michael Horton, *Here We Stand* [*Aquí estamos*] (Grand Rapids: Baker Books, 1996), 127.

[12] Steven Lawson, *John Calvin: A Heart for Devotion,Doctrine and Doxology* [*Juan Calvino: Un corazón para la devoción, doctrina y doxología*] (Lake Mary, FL: Reformation Trust, 2008), 79.

[13] R. C. Sproul, "Prologue" ["Prólogo"], en Gary Johnson y Fowler White (eds.), *Whatever Happened to the Reformation?* [*¿Qué le pasó a la Reforma?*], (Phillipsburg, NJ: P&R Publishing), xii.

buscaron vencer el mundo al transformarlo y reformarlo con base en la Palabra de Dios, debido a que el mundo era el escenario de teatro donde se mostraba la gloria de Dios".[14] América Latina no ha experimentado esta clase de transformación, a pesar de que el número de personas que se dicen creyentes sigue incrementándose. Un concepto elevado de Dios produce un concepto elevado de la Biblia que traerá como resultado una firme confianza en el poder del evangelio para transformar el corazón y la mente del ser humano.

La teología latinoamericana en las últimas décadas se ha centrado en los milagros (expulsión de demonios y sanidades) y, más recientemente, en el evangelio de la prosperidad.[15] Esta situación es resultado de una teología antropocéntrica que en forma muy sutil enseña que Dios existe principalmente para nuestro beneficio. Quizá nadie lo ha dicho mejor que el teólogo presbiteriano Joseph Haroutunian (1904-1968 d.C.):

> Antes, la religión se centraba en Dios. Antes, cualquier cosa que no condujera a la gloria de Dios era considerada infinitamente malvada; ahora, aquello que no conduce a la felicidad del ser humano es perverso, injusto e imposible de atribuir a la Deidad. Antes, el bien del ser humano consistía en glorificar a Dios. Ahora, la gloria de Dios consiste en el bien del hombre.[16]

Esto es lo peor del utilitarismo y el pragmatismo. Cuando el pragmatismo invade la predicación de la Palabra de Dios, la exposición desaparece y su fruto es la falta de conocimiento de Dios. El resultado

---

[14] Timothy George, *The Theology of the Reformers* [*Le teología de los reformadores*], (Nashville: B&H Academic, 2013), 32

[15] David Stoll, *Is Latin America Turning Protestant?* [*¿América Latina se está convir-tiendo en protestante?*], (Berkeley: University of California Press, 1990), 49-51.

[16] Erwin Lutzer, *10 Lies about God and the Truth That Shatter Deception* [*10 mentiras sobre Dios y la verdad que disipa todo engaño*] (Grand Rapids: Kregel, 2009), 8.

es un plan de redención centrado en la criatura y no en el Creador. Para empeorar las cosas, América Latina tiene pocos líderes entrenados bíblicamente.[17] La gran mayoría de los líderes han sido designados en momentos de necesidad o se han autonominado con muy poco entrenamiento bíblico. Como resultado, la crisis solamente ha empeorado. Emilio Núñez hace la siguiente pregunta en su libro *Crisis in Latin America* [*Crisis en América Latina*]:

> ¿Quién es responsable por la falta de enseñanza cristiana en los evangélicos de América Latina? Todos los que han tenido algún tipo de liderazgo: misioneros pioneros cuyo énfasis fue solamente el evangelismo; líderes expatriados y nacionales que han evadido el estudio serio y la enseñanza de la Biblia; institutos teológicos que producen líderes no preparados para satisfacer las profundas demandas de las iglesias; y editoriales cristianas cuyo interés es solo publicar libros que se vendan fácilmente.[18]

El mundo actual necesita de una nueva clase de predicadores que proclamen la misma verdad antigua con una nueva visión de Dios. Este mismo Dios proclamó a través del profeta: "la tierra se llenará del conocimiento de la gloria del Señor como las aguas cubren el mar." (Hab 2:14). Él no descansará hasta que Su propósito se cumpla. Y si este es Su propósito, debe ser el de la iglesia también, porque ella fue puesta "para hacer buenas obras, las cuales Dios preparó de antemano para que anduviéramos en ellas" (Ef 2:10).

Quien desee ser un líder para la gloria de Dios debe adoptar la revelación de Dios y predicarla fielmente, reconociendo que él no está parado sobre la Biblia, sino debajo de ella. Por tanto, el principio de *Sola Scriptura*, junto con el de *Soli Deo Gloria*, debe convertirse en su

---

[17] Núñez y Taylor, *Crisis in Latin America*, 164-67.
[18] Núñez y Taylor, *Crisis in Latin America*, 164.

grito de batalla como lo fue durante la época de la Reforma. Solo este principio (*Sola Scriptura*) eliminaría toda la revelación extrabíblica que vemos en las iglesias latinas; destruiría el "así dice el Señor" de la boca de muchos autodenominados profetas y apóstoles. *Sola Scriptura* es una frase corta, pero detrás de esas palabras existen implicaciones masivas:

> La Escritura es la única fuente de revelación. Solo la Escritura es inspirada. Solo la Escritura es inherentemente infalible. Solo la Escritura es el supremo estándar normativo. Pero la Escritura no existe en un vacío. Le fue dada a la iglesia en el contexto del evangelio apostólico. Solo la Escritura es la autoridad suprema, pero ella debe ser interpretada y predicada por la iglesia.[19]

Sola Scriptura protege la revelación de Dios, la gloria de Dios y el pueblo de Dios.[20] *Sola Scriptura* es lo que garantizará la transmisión del mismo mensaje que hemos recibido a la siguiente generación:[21] "que Cristo murió por nuestros pecados, conforme a las Escrituras; que fue sepultado y que resucitó al tercer día, conforme a las Escrituras" (1Co 15:3-4). Si este mensaje no es transferido, toda la siguiente generación se irá al infierno. Dios nos dio el ministerio de la reconciliación y nos hizo embajadores de Cristo. Pasar la batuta de la verdad de Dios, de la cual América Latina ha carecido, es responsabilidad de la presente generación.

El gran predicador David Martyn Lloyd-Jones en su *Comentario a la Epístola a los Efesios* dijo: "No puede existir ninguna duda de que todos los problemas en la iglesia y la mayor parte de los problemas en

---

[19] Keith Mathison, *After Darkness, Light: Essays in Honor of R. C.Sproul [Luz después de la oscurida: Ensayos en honor a R. C. Sproul]* (Phillipsburg, NJ: Presbyterian & Reformed Publishing, 2003), 43.

[20] Mathison, *After Darkness, Light,* 50.

[21] Michael Horton, "The Sola's of the Reformation" ["Las solas de la Reforma"], 129.

el mundo se deben a un alejamiento de la autoridad de la Biblia".[22] La mayoría de los pastores en América Latina afirmaría que la autoridad de la Biblia es suprema y también confirmarían que la Biblia no se equivoca, incluso en la actualidad. Su incoherencia reside en el hecho de que, posterior a aceptar dichos principios de fe, estos pastores adoptan toda clase de revelaciones extrabíblicas, negando de esa manera el principio de *Sola Scriptura*.

Parte del problema en las iglesias latinoamericanas radica en la cosmovisión de la gente. Las cosmovisiones son difíciles de cambiar. La gran influencia del animismo en el hemisferio sur es desconocida para muchos.[23] El animismo cree que todo tipo de espíritus habla y revela "verdades" a las personas. Muchos de los que adoptan la fe cristiana desarrollan una versión modificada de sus pasadas creencias. Por tanto, una vez convertidos, muchos continúan reportando sueños, visiones, apariciones y voces de Dios que, en muchos casos, traen revelación contradictoria y antibíblica. Sin importar qué pienses sobre estas manifestaciones sobrenaturales, deberíamos estar de acuerdo en que la existencia de una nueva revelación cuestiona lo completo del canon de la Biblia. Además, revelaciones antibíblicas no pueden venir de Dios. Es por esto que el poner a la Biblia como el supremo estándar de la verdad es tan importante. Las iglesias en América Latina necesitan pastores, líderes y misioneros que se aferren a estas convicciones. Leamos lo que William Webster escribió en su libro *The Gospel of the Reformation* [*El evangelio de la Reforma*]:

> Necesitamos regresar a una valiente proclamación de la verdad del evangelio como es revelada en las Escrituras. Esto fue lo que caracterizó a la predicación y a la enseñanza de los reformadores.

---

[22] Martyn Lloyd Jones, *The Christian Soldier* [*El soldado cristiano*], (Grand Rapids: Baker Books, 1977), 210.

[23] Núñez y Taylor, *Crisis in Latin America*, 45.

Su mensaje del evangelio se basaba en la suprema autoridad de la Palabra de Dios, y Él bendijo sus esfuerzos con un derramamiento de Su Espíritu con gran poder y conversión.[24]

Los pastores latinoamericanos no necesitan *regresar*, como Webster dijo en la cita anterior, sino *adoptar* "una valiente proclamación de la verdad del evangelio". La razón de decirlo de esta manera es debido a que el continente latinoamericano aún no ha visto la clase de proclamación del evangelio que se llevó a cabo durante la Reforma. Los pastores deben apegarse al principio de *Sola Scriptura* para predicar que la salvación se encuentra únicamente en Cristo, es por gracia solamente, por medio de la fe solamente y solamente para la gloria de Dios.

Predicando para un tiempo como este

Aunque los tiempos están cambiando (y muy rápido), la predicación no debe cambiar. La proclamación de todo el consejo de Dios necesita mantenerse expositiva, buscando mostrar la verdad de Dios de una manera fiel. La fidelidad a la Palabra de Dios es primordial porque representa el corazón y la mente de Dios. Por ello, los predicadores deben reverenciar la Palabra, ya que esta es una extensión de Dios mismo. Aquellos que viven en áreas en donde Dios parece estar haciendo cosas extraordinarias deben recordar eso. Los predicadores deben esforzarse por usar adecuadamente la Palabra de Dios (2Ti 2:15) para que la proclamación de su mensaje concuerde con sus hechos, ambos para la gloria de Dios. Es de gran gozo ver la mano de Dios obrando en América Latina, pero también debemos entender que aumenta la responsabilidad. Michael W. Goheen dice lo siguiente sobre la obra de Dios:

---

[24] William Webster, *The Gospel of the Reformation* [*El evangelio de la Reforma*], (Battle Ground, WA: Christian Resources Inc., 1997), 13.

Durante el último siglo el centro de gravedad ha cambiado hacia el sur y hacia el este, a África, Asia y Sudamérica. A pesar de que la mayoría de los cristianos vivían en Occidente cuando comenzó el movimiento misionero moderno, hoy quizá de dos tercios a tres cuartos de los cristianos en el mundo viven fuera de Occidente. Como Philip Jenkins sintetiza: "La era del cristianismo occidental ha pasado durante nuestra época y la era del cristianismo del sur está amaneciendo".[25]

Goheen añade:

En 1980 dos cosas acontecieron que dividieron la historia del cristianismo en dos: el número de cristianos no blancos sobrepasó el número de creyentes blancos por primera vez, y los pentecostales sobrepasaron a todos los demás grupos protestantes para convertirse en el más grande grupo a nivel mundial.[26]

Los pastores latinoamericanos deben aprovechar el momento, arrodillarse ante Dios e inclinar sus cabezas para estudiar y escudriñar las Escrituras hasta que encuentren el significado que Dios dio a cada texto que van a proclamar.

La predicación expositiva es supremamente importante por dos razones: en primer lugar, protege de malas interpretaciones a los textos bíblicos,[27] y en segundo lugar, la predicación expositiva en América Latina es una joya perdida. La mayor parte de los evangélicos latinoamericanos son pentecostales y esta tradición no se caracteriza por la predicación expositiva. Emilio Núñez comenta sobre algunos

---

[25] Michael Goheen, *Introducing Christian Mission Today* [*Introducción a la misión cristiana actual*] (Downers Grove, IL: IVP Academic, 2014), 17.
[26] Goheen, *Introducing Christian Mission Today* , 19.
[27] Richard Mayhue, *Preaching: How to Preach Biblically* [*Predicando: Cómo predicar bíblicamente*] (Nashville: Thomas Nelson, 2005), 15.

de los problemas de la iglesia en América Latina, especialmente entre pentecostales:

> Existen deficiencias pentecostales importantes, algunas de las cuales ellos mismos reconocen: una seria escasez de líderes capacitados, el problema del crecimiento numérico sin enseñanza bíblica ni discipulado, la tendencia a centrar el poder en líderes autoritarios, la espiritualidad artificial, las liturgias animadas pero rutinarias y un espíritu de legalismo en la vida cristiana.[28]

No conozco mejor manera para enfrentar todos estos defectos sufridos por la iglesia que la predicación expositiva de la Palabra de Dios de forma continua. La falta de entrenamiento es responsable de la predicación no doctrinal, temática, pragmática, terapéutica y antropocéntrica que siempre procura que la gente se sienta mejor consigo misma. Este tipo de predicación carece de poder para transformar a la persona.

La gente debe ser enseñada sobre qué es la predicación expositiva, porque muchos la han calificado como cerebral, aburrida y carente del Espíritu. En realidad, la predicación expositiva es simplemente la lectura y la completa explicación del texto bíblico, a fin de que la audiencia pueda ver al autor (Dios) en el texto. Eso es exactamente lo que leemos en Nehemías 8:8 (RVC): "Y es que la lectura de la ley se hacía con mucha claridad, y se recalcaba todo el sentido, de modo que el pueblo pudiera entender lo que escuchaba". Tres cosas mencionadas en este versículo no pueden ser ignoradas si queremos comprender lo que es la predicación expositiva: 1) los judíos leían "con mucha claridad", 2) "se recalcaba todo el sentido" de lo que leían y 3) lo hacían con el propósito de que la gente "pudiera entender lo que escuchaba". Con el fin de predicar expositivamente, el predicador debe estudiar el texto bíblico.

---

[28] Núñez y Taylor, *Crisis in Latin America*, 157.

La importancia de realizar dicho estudio es simple: cuando la Biblia habla, Dios habla. Ahora bien, para evitar ser llamado simplista, yo defino la predicación expositiva como "la exposición de la Palabra de Dios a través de una estructura provista por el texto mismo, preservando la intención original del autor, para después proclamar las verdades encontradas en el texto de una manera cristocéntrica".[29]

La meta de la predicación expositiva es que el predicador sea gobernado por el texto.[30] El que proclama el mensaje debe evitar convertirse en un obstáculo para que la Palabra realice su trabajo en el corazón del oyente.[31] Esto requiere un ejercicio mental y espiritual de varias horas. Muchos cristianos latinoamericanos creen que llegar al púlpito sin preparación es la verdadera marca de la espiritualidad. Piensan que Dios inspirará al predicador en ese preciso momento. En realidad, quien llega al púlpito sin la preparación adecuada no será bendecido por el Señor. Llamar "espiritualidad" a lo que es "irresponsabilidad" es una señal de inmadurez. Los predicadores han sido llamados a usar la Palabra con responsabilidad precisamente porque proviene de Dios; es un texto sagrado. De muchas maneras, la autoridad del expositor radica en la fidelidad al texto, y no hay nada mejor que la predicación expositiva para llegar a esa meta.

Cuando perseguimos esta tarea espiritual de forma adecuada, la interpretación ligera del texto es evitada y la interpretación del expositor queda limitada, protegiendo así la mente de las personas de malos entendidos acerca del texto. De lo contrario, podemos terminar dando con el significado equivocado del texto que estamos estudiando y eso, al final, trae consecuencias en la vida diaria.

---

[29] Miguel Núñez, "La Predicación Expositiva" (presentado en *IX Marks Conference*, "Nueve marcas de una iglesia saludable", Louisville, en febrero 27 de 2014).

[30] Bryan Chapel, *Christ-Centered Preaching* [*Predicación cristocéntrica*], (Grand Rapids: Baker Books, 1994), 23.

[31] Chapel, *Christ-Centered Preaching*, 25.

Por último, el lector de la Palabra puede dar más significado a un texto de lo que originalmente intentaba decir el autor. En ese caso, seríamos culpables de "sobreinterpretar" el texto.[32]

En cuanto al texto bíblico, debemos preguntar: "¿Dónde está Cristo en el texto?". Toda la Biblia está centrada en Cristo. La teología latinoamericana frecuentemente enfatiza el trabajo del Espíritu hasta el punto de relegar a Cristo en un segundo lugar. Pero la Biblia revela cómo trabaja el Espíritu: "Pero cuando venga Él, el Espíritu de verdad, os guiará a toda la verdad, porque no hablará por Su propia cuenta, sino que hablará todo lo que oiga, y os hará saber lo que habrá de venir. Él me glorificará; porque tomará de lo Mío, y os lo hará saber" (Jn 16:13-14).

A través de todo el libro de Hechos, vemos al Espíritu Santo guiando la evangelización del mundo para la gloria de Cristo. Si América Latina quiere ser transformada, necesita predicaciones que sean centradas en el evangelio, que exalten a Cristo, que dependan del Espíritu Santo y que glorifiquen a Dios. Al repasar el Nuevo Testamento podemos descubrir que existen cuatro palabras principales utilizadas al referirse a la predicación de la Palabra: *keryssō*, que aparece treinta y dos veces en los Evangelios. En casi todas ellas, el objeto es el evangelio o Jesús mismo.[33] La segunda palabra es *euangelízō*, y aparece cincuenta y cinco veces en el Nuevo Testamento. Esta palabra es utilizada en el contexto de la proclamación de las buenas noticias de Jesucristo.[34] La siguiente palabra es *marturéō*, la cual es mencionada setenta y nueve veces en el Nuevo Testamento. Implica dar testimonio de la verdad de Jesucristo.[35] La última palabra, *didáskō*, es utilizada noventa y siete

---

[32] Ramesh Richard, *Preparing Expository Sermons* [*Preparando sermones expositivos*] (Grand Rapids: Baker Books, 2005), 46.

[33] Walter Elwell (ed.), *Evangelical Dictionary of Theology* [*Diccionario evangélico de teología*] (Grand Rapids: Baker Academics, 2001).

[34] Joseph Thayer, *Thayer's Greek-English Lexicon of the New Testament* [*Léxico griego-inglés de Thayer*] (Peabody, MA: Hendrickson Publishers, 1996), s.v. "Evangelízō".

[35] Thayer, *Thayer's Greek-English Lexicon of the New Testament*, s.v. "Marturéō".

veces en el Nuevo testamento.[36] Significa "enseñar" o "instruir", generalmente refiriéndose a aquello que Jesús enseñó (Mt 28:16-20). A través de estas cuatro palabras podemos ver qué tan cristocéntrico es el Nuevo Testamento.

Cuanto más se percaten los predicadores de que la predicación se trata de proclamar el mensaje de Dios y no el propio, más confianza tendrán al estar en el púlpito. Pablo expresaba esa misma confianza en sus cartas. A los tesalonicenses les dijo: "Por esto también nosotros sin cesar damos gracias a Dios de que cuando recibisteis la palabra de Dios, que oísteis de nosotros la aceptasteis no como la palabra de hombres, sino como lo que realmente es, la palabra de Dios, la cual también hace su obra en vosotros los que creéis" (1Ts 2:13). Pablo estaba seguro de que su mensaje no era un mensaje humano, sino divino. Los predicadores que tienen esta clase de seguridad predicarán diferente que aquellos que no tienen confianza en la Fuente de la revelación. Los buenos predicadores tienden a presentar el mensaje de la Palabra demandando una respuesta a la consciencia de las personas, de tal manera que los oyentes se ven obligados ya sea a recibir o a rechazar la verdad que acaban de escuchar. Pedro concluye su sermón en Pentecostés así: "'Sepa, pues, con certeza toda la casa de Israel, que a este Jesús a quien vosotros crucificasteis, Dios le ha hecho Señor y Cristo'. Al oír esto, compungidos de corazón, dijeron a Pedro y a los demás apóstoles: '¡Hermanos, ¿qué haremos?'" (Hch 2:36-37).

Pedro confiaba en la revelación inerrante e infalible de Dios. Cuando el predicador no cree en la inerrancia de la Biblia, no creerá en la suficiencia de las Escrituras, y cuando no cree en esto último, siempre buscará otro mensaje para llegar al corazón y a la mente de las personas. Solamente el evangelio es poder de Dios para salvación.

---

[36] Thayer, *Thayer's Greek-English Lexicon of the New Testament*, s.v. "didáskō".

Cuando el apóstol Pablo se reunió con los ancianos de la iglesia de Éfeso en Mileto para despedirse, expresó su confianza en el poder de la Palabra cuando les dijo: "Y ahora, hermanos, os encomiendo a Dios, y a la palabra de Su gracia, que tiene poder para sobreedificaros y daros herencia con todos los santificados" (Hch 20:32 RV60). Notemos cómo Pablo encomienda a estos líderes a "la palabra de Su gracia, que tiene poder para sobreedificaros". Pablo se despidió de ellos y se marchó confiado en lo que la Palabra de Dios podía hacer incluso en su ausencia. Esta es la clase de predicador que América Latina necesita en tiempos como estos.

Conclusión

América Latina está comenzando a ver una nueva visitación por parte de Dios y, con ella, los vientos de la teología reformada han comenzado a soplar; estas son muy buenas noticias. Sin embargo, Dios siempre ha utilizado líderes comprometidos con Él. Si los predicadores latinoamericanos han de enfrentar la batalla por el evangelio, deben rendirse a los propósitos de Dios, percatándose de que son solo siervos del Dios viviente. La iglesia tiene un "Comandante en Jefe", y Su nombre es Cristo (comparar con Jos 5:14). A Él los líderes deben dar cuentas por las almas que se les han confiado. Debemos recordar las palabras de Judas 3 cuando los llamó a contender "ardientemente por la fe que ha sido una vez dada a los santos". La manera de hacer esto no es expulsando demonios aquí y allá, sino proclamando la verdad dentro y fuera de la iglesia. La iglesia ha sido designada como la "columna y sostén de la verdad" (1Ti 3:15). Por tanto, todas las demás instituciones en la sociedad dependen de la iglesia como fuente de verdad y de luz. La iglesia no es Dios y por eso no tiene la misma autoridad que Dios tiene. Sin embargo, la iglesia es el micrófono a través del cual Dios ha hablado por siglos. Debido a esto, la iglesia necesita proclamar la verdad de la Biblia para gloria de Dios.

Como hemos mencionado antes, una perspectiva antropocéntrica del evangelio y de la misión de la iglesia nunca será capaz de mejorar la sociedad. Solamente al adoptar una perspectiva de la vida centrada en Dios podemos enfrentar las amenazas que existen contra la iglesia moderna. América Latina necesita una nueva clase de predicadores. Necesita predicadores que proclamen la misma verdad de hace dos mil años; que no dependan de su experiencia para hablar, sino de la Palabra de Dios; que no narren sueños ni visiones, sino que sean estudiantes diligentes de la Palabra; y que tengan corazones cada vez más marcados y transformados por la Biblia.

El líder del momento necesita mostrar reverencia ante la Palabra de Dios cuando la estudia y la proclama; debe ser tan transparente que Cristo y Su cruz se vean a través de él cada vez que predica. Nunca debe funcionar como un velo entre Dios y la audiencia, ni tampoco como una imagen de Dios colgando en la pared. Él es una ventana a través de la cual las personas pueden ver las riquezas de Dios en el rostro de Cristo.

6

UN MODELO DE IGLESIA
para América Latina

La iglesia local es el lugar en el cual la Palabra de Dios es creída, vivida y proclamada hacia la sociedad. En este último capítulo observaremos cómo una simple iglesia, como un modelo, puede ser utilizada por Dios para transformar individuos y sociedades.

Existen muchos libros en las librerías que tratan el tema de la eclesiología; lo mismo podría decirse de los libros que hablan de plantar iglesias o del crecimiento eclesial. Sin embargo, pocos de estos libros se han escrito considerando los requisitos del Nuevo Testamento, además de considerar el trasfondo sociocultural, la cosmovisión religiosa y el momento histórico del área en donde se plantará la iglesia.[1] Este capítulo se enfoca en estos temas: plantar y desarrollar una iglesia en América Latina en los inicios del siglo 21 con la intención de influir en la nación. Por tanto, todo lo que hemos enseñado, planeado y llevado a cabo durante estos años liderando la Iglesia Bautista Internacional (en Santo Domingo), de una u otra forma, ha sido con el propósito de llegar a las personas con el evangelio para que después sean parte de una transformación nacional.

---

[1] Zane Pratt, David Sills, y Jeff Walters, *Introduction to Global Missions* [*Introducción a las misiones globales*], (Nashville: B & H Publishing Company, 2014), 137-155.

América Latina es un continente con grandes desigualdades sociales, con una cosmovisión católica, animista, sincretista[2] en más de un 70 por ciento de la población, en un momento histórico en el que el Continente aún no es posmoderno ni mucho menos poscristiano,- cuenta con una cosmovisión católica, animista y sincretista.[3] Si hemos de plantar iglesias en la región, debemos comenzar con el Nuevo Testamento, pero no podemos ignorar en dónde se encuentran las naciones. América Latina no es la Europa poscristiana ni tampoco la prácticamente secularizada Norteamérica. Por la gracia de Dios, el continente latinoamericano permanece abierto al evangelio; muchos de los eventos gubernamentales aún comienzan con oraciones y los presidentes suelen aceptar las invitaciones a eventos católicos y protestantes.

Además, cuando pensamos en plantar una iglesia en el resto del mundo occidental, debemos tener en cuenta a los católicos, judíos, protestantes no convertidos, budistas, hindúes, ateos y muchas otras religiones. América Latina es extremadamente diferente; la mayoría de la población es católica, y otros, protestantes no convertidos.[4] Podemos tener muchos ateos *prácticos*, pero muy pocos ateos *teóricos*. En otras palabras, las personas pueden vivir como si Dios no existiera, pero muy raramente encontramos a algún ciudadano que abiertamente rechace a Dios. Ni siquiera tenemos a muchos deístas, porque la gran mayoría de la población aun habla de un Dios que determina los eventos de la historia humana. Esto se hace aún más evidente en los funerales. Cuando la mayoría de las personas en Latinoamérica piensan en Dios, piensan en el Dios de la Biblia, a pesar de que pueden tener ideas equivocadas sobre Él. Esto se debe al gran predominio de la religión católica en la región.

---

[2] Virginia Garrard-Burnett, *Religion and Society in Latin America* [*Religión y sociedad en Latinoamérica*] (Maryknoll, NY: Orbis Books, 2009), 190-206.

[3] John Lynch, *New Worlds, A Religious History of Latin America* [*Nuevos mundos, una historia religiosa de América Latina*], (New Haven, CT: Yale University Press, 2012), 161-184.

[4] Garrard-Burnett, *Religion and Society in Latin America*, 190-206.

Finalmente, pienso que es importante mencionar que la mayoría del grupo de personas que ha podido educarse a nivel universitario en América Latina no ha sido alcanzado aún por el evangelio. De cierta forma, este grupo representa a personas no alcanzadas, quizás no en el sentido más técnico de la palabra, pero la realidad es que ese es un grupo que en general no ha sido alcanzado en nuestras naciones, y aquí incluyo a la mayoría de los países del Tercer Mundo.[5] La clase media y alta que no han sido alcanzadas explican en parte por qué los cambios sociales no se han llevado a cabo en los países latinos en donde la población evangélica ha crecido de manera significativa. En una entrevista que realizó Matt Damico al Dr. Michael Haykin sobre su libro *To the End of the Earth* [*Hasta lo Último de la Tierra*], Haykin explica la influencia de Juan Calvino en Francia:

Una de las razones del porqué los ingleses fueron capaces de ganar esa guerra [con Francia en el siglo 18] es porque el deseo del gobierno francés de tener un Estado religioso uniforme desangró a la iglesia calvinista y, al hacerlo, desangró también a la clase media. Calvino conectaba directamente con la clase media y, al ser destruida, hubo todo una área de la vida que nunca se desarrolló en Francia como sí ocurrió en Gran Bretaña. Francia no tenía las finanzas para ganar esa guerra y al final terminó en una revolución en la década de 1780. Muchos de los que huyeron de Francia, los calvinistas franceses, terminaron en Inglaterra. Y muchas de las áreas en donde se asentaron fueron las regiones en donde comenzó la revolución industrial. Inglaterra fue el primer país en donde

---

[5] Técnicamente la International Mission Board [Junta de misiones internacionales] define a un grupo de personas no alcanzadas como "un grupo de la población homogéneo caracterizado por un idioma, un trasfondo y una religión en común sin que ningún movimiento eclesiástico tenga la suficiente fuerza, recursos o compromiso para sostener y asegurar la continua multiplicación de las iglesias", (International Mission Board, "Glosario" 2014, http://going.imb.org/details. asp?storyID=7489&languageID=1709).

se llevó a cabo la revolución industrial y, en parte, eso fue debido a estos calvinistas franceses.[6]

Habiendo dicho esto, me gustaría hablar de la iglesia que establecimos en enero de 1998 en la ciudad de Santo Domingo, República Dominicana, después de haber vivido en Estados Unidos por quince años. Esta era la ciudad indicada para comenzar, ya que al menos el 25 por ciento de la población dominicana vive en Santo Domingo. La urbanización del mundo es una realidad actual. Para 1960 se estimaba que más del 50 por ciento de la población latinoamericana vivía en centros urbanos. Para 2010 las Naciones Unidas habían proyectado que más del 79 por ciento de la población latinoamericana viviría en ciudades.[7] Al ir a la ciudad, imitamos al apóstol Pablo, quien plantó o al menos fue parte del establecimiento de iglesias que se fundaron en algunos de los principales centros urbanos de su tiempo: Antioquía, Filipos, Corinto, Tesalónica, Éfeso, Galacia y Roma. Desde estas ciudades principales, otros podían salir a comunidades más pequeñas y plantar otras iglesias. Creo que ese modelo es digno de imitar incluso en la actualidad.

La plantación de una iglesia

Nuestra iglesia, conocida como Iglesia Bautista Internacional de Santo Domingo (IBI), comenzó como un estudio bíblico en nuestro hogar. Cuando inició, no lo llamábamos iglesia ni yo había sido reconocido como pastor. Esto fue hecho intencionalmente y correspondía con la verdad. No era pastor aún de esta Iglesia aunque había sido ordenado en enero de 1997 en la iglesia a la cual pertenecía en Estados Unidos, The Evangelical Free Church of River Vale (La Iglesia Evangélica Libre de

---

[6] Publicado por el Seminario Teológico Bautista del Sureste el 18 de Julio de 2014 en http://www.sbts.edu/blogs/2014/07/18/to-the-ends-of-the-earth/.

[7] Ricardo Gómez, *The Mission of Latin America* [*Las misiones de América Latina*], (Lexington, KY: Emeth Press, 2010), 20-23.

River Vale). Además aún no teníamos una iglesia y, por consiguiente, no tenía ovejas que pastorear. Todo lo que teníamos era un estudio bíblico que se reunía durante la semana (en vez del domingo) para que las personas que asistían y pertenecían a iglesias no evangélicas o no bíblicas se sintieran con la libertad de acompañarnos sin dejar inicialmente sus iglesias. Pensamos que si llegábamos a un sector católico con miras inmediatas a plantar una iglesia evangélica, eso levantaría una barrera capaz de alejar a los católicos, a aquellos que precisamente queríamos alcanzar. Conocer la religión de un grupo de personas es muy importante cuando pensamos en plantar una iglesia. El mensaje no debe comprometerse, pero las barreras innecesarias deben ser eliminadas si estas existen y, en otros casos, esas barreras deben ser evitadas manteniendo el mensaje central. Esto es parte de lo que llamamos "contextualización".[8]

Nuestra casa era un lugar perfecto; proveía un lugar acogedor para un pequeño grupo de personas (aproximadamente catorce al inicio). No intentábamos plantar una "iglesia de hogar" debido a que, en nuestra opinión, eso nunca funcionaría en América Latina entre la clase profesional que está acostumbrada a un espacio, a una calidad, a una diversidad y a una influencia más allá de las cuatro paredes. El modelo de iglesia en hogares funcionó muy bien en el primer siglo, cuando la iglesia era perseguida y tenía muy pocos recursos, como ha sido el caso de la iglesia en Cuba y China.[9] Las iglesias en hogares pueden tener beneficios, pero también tienen limitaciones significativas. En cinco meses, nuestro estudio bíblico creció de catorce a cincuenta personas. Para entonces, habíamos ampliado el lugar de reunión. Si hubiéramos tenido una "home church" (iglesia de hogar), este crecimiento hubiera requerido abrir una segunda iglesia, cuando en realidad ni siquiera contábamos

---

[8] R. Musasiwa, "Contextualization" ["Contextualización"], en John Corrie, Samuel Escobar y Wilbert Shenk (eds.), *Dictionary of Mission Theology, Evangelical Foundations* [*Diccionario de teología misionera, fundaciones evangélicas*] (Downers Grove, IL: InterVarsity Press, 2007).

[9] Pratt, Sills y Walters, *Introduction to Global Mission*, 213-14.

con líderes para esta primera iglesia plantada, mucho menos para una segunda. Incluso aún no habíamos formado el equipo de alabanza. Si hubiéramos seguido el modelo de iglesia en casas, habríamos plantado una segunda iglesia a los pocos meses, a pesar de que la primera carecía de todo lo que una iglesia fuerte e influyente necesita.

Una iglesia preparada para afectar a la comunidad que la rodea necesita un liderazgo sólido, un conjunto de dones y talentos, espacio, medios para crecer y un corazón para mover a las personas para alcanzar a los necesitados. La tarea de alcanzar la clase educada tiene una razón y un propósito. Ellos están tan perdidos como los demás, pero han permanecido sin ser alcanzados (en su mayor parte). Necesitan ser parte de la Gran Comisión y ser usados para alcanzar a quienes tienen menos recursos y así puedan expandir el reino, dependiendo cada vez más de la iglesia nacional y menos de la ayuda extranjera.[10] Esta es una necesidad real en América Latina porque a través de los años nuestra gente ha dependido en gran medida de las misiones foráneas. Y cuando estas se van, las iglesias son dejadas sobre arenas movedizas.

Debemos planificar no solamente la construcción de locales, sino la generación de iglesias sanas y fuertes. Las iglesias débiles perpetúan un problema que ha plagado la iglesia latinoamericana: la falta de excelencia. Si hay algo que ha mantenido alejado al latinoamericano de la iglesia, especialmente en los grupos educados, es la falta de calidad o de excelencia en todo lo que se hace: enseñanza, predicación, liderazgo, ministerios, adoración, instalaciones e incluso el sistema de sonido. Esta ha sido mi observación en casi todos los países en los que he estado. He viajado a mas de quince países latinoamericanos. Ese estereotipo debe ser cambiado.

Es verdad que no buscamos agradar a las personas; pero debemos reflejar a Dios, y nuestro Dios es un Dios de excelencia. Al comienzo

---

[10] David Garrison, *Movimientos de Plantación de Iglesias*, (El Paso, TX: Editorial Mundo Hispano, 2005), 248-250.

de nuestra iglesia establecimos algunos de nuestros valores centrales; uno de ellos dice: "La excelencia honra a Dios". No servimos a un Dios mediocre; los cielos que proclaman Su gloria lo testifican. Cuando se busca la excelencia para la gloria de las personas, nos llenamos de orgullo; pero cuando se busca la excelencia para agradar a Dios, esta excelencia se convierte en parte de la misión de reflejar Su gloria. Fuimos llamados a proclamar Sus virtudes (1P 2:9). Una recomendación más: la excelencia no es hacer las cosas mejor que otros; es hacer lo mejor con lo disponible. La excelencia es un concepto importante al cual no le prestamos mucha atención porque vivimos en una sociedad utilitaria y pragmática.[11]

Desde el momento en que pensamos en plantar una iglesia, decidimos que necesitábamos una visión para ella, un plan para enseñar y predicar doctrina bíblica, algunos valores no negociables que nos mantuvieran en curso, una estrategia para desarrollar el liderazgo, una adoración bíblica y un brazo para alcanzar a la comunidad que nos rodeaba.

La visión de la iglesia

Cada iglesia necesita una visión al ser plantada. La visión consiste en dar respuestas a preguntas como ¿por qué otra iglesia?, ¿por qué esta iglesia?, ¿por qué aquí y no en otro lugar?, ¿por qué ahora?, ¿por qué este líder o pastor y no otro?, ¿a qué población trataremos de alcanzar?, ¿por qué a ese grupo de la población y no a otro? Una visión es vital para la vida de la iglesia.[12,13] "La visión es de vital importancia para la

---

[11] Bob Russell, *When God Builds a Church* [*Cuando Dios construye una iglesia*], (New York: Howard Books, 2000), 107-125.

[12] George Barna, *The Power of Vision* [*El poder de la visión*], (Ventura, CA: Regal, 1992), 28-41.

[13] Aubrey Malphurs, *Developing a Vision for Ministry* [*Desarrollando una vision para el ministerio*], (Grand Rapids: Baker Book House, 1992), 19-28.

nueva iglesia porque le provee de energía, fomenta el tomar riesgos, da validez al liderazgo, capacita a la iglesia, sostiene el ministerio, mantiene a las personas enfocadas en un objetivo y las motiva".[14]

La existencia de la visión tiene muchos beneficios, pero me limitaré a mencionar solo algunos. Una visión ayuda a que el liderazgo enfoque su atención en la dirección que Dios le ha señalado. Por tanto, una visión clara permitirá que los líderes digan "sí" o digan "no" a las oportunidades, de acuerdo con las metas que se quieran alcanzar.[15] Cuando no sabemos hacia dónde vamos, no sabemos qué dirección tomar. La Biblia nos ofrece un recordatorio y una advertencia: "Donde no hay visión, el pueblo se desenfrena" (Pr 29:18). Otro aspecto importante sobre la visión es el hecho de que cuando esta es comunicada adecuadamente, generalmente produce entusiasmo.

A algunos no les gusta la palabra "visión" e incluso muchos dirían que no es un concepto bíblico. Sin embargo, cuando leemos la Biblia, observamos una visión clara. Dios le dio a Adán una visión para él y para sus descendientes. Él sabía lo que tenía que hacer y cómo hacerlo. También sabía lo que no debía hacer. Lo mismo podría decirse de Abraham, de Moisés mientras vivía en el desierto, y de cada uno de los profetas que fue enviado con un mensaje específico y a grupos específicos. Observamos el mismo patrón en el Nuevo Testamento. La Gran Comisión es una declaración concisa de lo que se supone que debemos hacer hasta el fin del mundo. La visión de la Gran Comisión nos declara la fuente de la autoridad (Cristo); nos dice a dónde ir (a todas las naciones), qué hacer (discípulos), qué enseñar ("todo lo que os he enseñado") y hasta cuándo hacerlo (hasta el fin del mundo). Luego, la visión se hace más clara cuando Jesús dice a Sus discípulos cuándo comenzar (después de recibir al Espíritu Santo) y en qué orden cumplirla

---

[14] Aubrey Malphurs, *The Nuts and Bolts of Church Planting* [*Puntos esenciales sobre plantación de iglesias*], (Grand Rapids: Baker Books, 2011), 97 en formato electrónico.
[15] Barna, *The Power of Vision* [*El poder de la visión*], 106-118.

(Jerusalén, Judea, Samaria y hasta lo último de la tierra; Hechos 1:8). A Pablo se le dio una visión para ir a los gentiles; Pedro debería quedarse a ministrar principalmente a los judíos. Pedro y Pablo tenían la misma misión (alcanzar a los perdidos), pero visiones diferentes (a quiénes y en dónde).

En la actualidad, no esperamos que Dios nos dé instrucciones audibles como lo hizo en el pasado. El mismo Dios que inspiró a Hudson Taylor a ir a China, a William Carey a ir a la India y a David Livingstone a ir a África es el Dios "que en vosotros produce así el querer como el hacer, por Su buena voluntad" (Fil 2:13). Por tanto, una iglesia necesita una visión clara. Esta es la visión que establecimos mientras Dios trabajaba en nuestros corazones en 1994, tres años antes de venir a Santo Domingo: "Ser una iglesia sin muros, fundamentada en la suficiencia de las Escrituras y formada por discípulos de íntima comunión con Dios y entre ellos mismos, que caminen en integridad de corazón y con un testimonio público que impacte su esfera de influencia, hasta que la gloria de Dios cubra nuestra tierra". Si desglosamos esta definición, los miembros de la iglesia podrán apreciar mejor lo que nos define:

1. *Una iglesia sin muros.* Entendemos claramente que hemos sido enviados al mundo (Jn 17:18) para ser sal y luz (Mt 5:13-14).
2. *Basada en la suficiencia de las Escrituras.* El principio de *Sola Scriptura* sería el único estándar por el cual mediaríamos todas nuestras enseñanzas, planes y eventos, así como los resultados de los mismos.
3. *Discípulos de íntima comunión con Dios.* Como discípulos necesitamos pasar tiempo en la presencia de Dios para cambiar nuestros corazones. Esto es el resultado de llevar a la práctica el más grande mandamiento: "Amarás al Señor tu Dios con todo tu corazón, y con toda tu alma, y con toda tu mente" (Mt 22:37).

4. *Discípulos en comunión mutua.* Esto debe ser el resultado de llevar a la práctica el segundo más grande mandamiento: "Amarás a tu prójimo como a ti mismo " (Mt 22:39). Solo así podríamos preservar la unidad en el vínculo de la paz (Ef 4:3).

5. *Integridad de corazón.* Esto es el resultado de caminar con Dios día a día. La falta de integridad puede afectar la enseñanza de la Palabra, el manejo de los recursos del Señor, el desarrollo de un liderazgo bíblico y el testimonio de la iglesia, entre otras cosas.

6. *Testimonio público impactante.* Como enseña la Biblia, "[mantendremos] entre los gentiles una conducta irreprochable, a fin de que en aquello que [nos] calumnian como malhechores, ellos, por razón de vuestras buenas obras, al considerarlas, glorifiquen a Dios en el día de la visitación" (1P 2:12). La verdadera iglesia es una institución relevante por definición, pero podemos convertirla en irrelevante por la manera en que nos comportemos ante los de afuera.

Al intentar cumplir esta visión, la iglesia ha crecido en la dirección indicada por dicha visión y ha crecido también en fuerza e influencia en la ciudad de Santo Domingo e incluso en América Latina.

Valores no negociables de la iglesia

Los valores no negociables son principios bíblicos que ayudarán a la iglesia a desarrollar una filosofía de ministerio que irá de acuerdo con la visión. Adicionalmente, sirven como motivación para el ministerio y como marcadores que nos ayudan a mantenernos en el curso adecuado. Un autor define los valores no negociables como "creencias bíblicas constantes que dirigen el ministerio".[16] Cuando hablamos sobre valo-

---

[16] Malphurs, *The Nuts and Bolts of Church Planting*, 67 en formato electrónico.

res no negociables, hablamos sobre principios bíblicos que deben ser reflejados en la manera en que plantamos y desarrollamos una iglesia, mientras protegemos al pueblo de Dios de los errores y distracciones de lo que siempre deben ser sus prioridades. Como ilustración, si consideramos la unidad de la familia una prioridad, debemos asegurar e incluir suficiente enseñanza para preparar a los padres para sus responsabilidades y asegurarnos de no convertir a la iglesia en un "sinfín" de actividades que alejen a los padres de los niños todo el tiempo.

Una ilustración más puede ayudarte a entender la importancia de los valores no negociables. Desde el comienzo, queríamos honrar la santidad de Dios en palabra, así como en acciones visibles. La Biblia es enfática sobre este atributo de Dios, así que no quisimos asumir que todos entendían su importancia. Por tanto, uno de nuestros valores no negociables declara: "Haz todo lo posible por mantener separadas las cosas ordinarias de los seres humanos de las cosas extraordinarias y trascendentales de Dios". Este solo valor no negociable ha ayudado a la iglesia a mantener la adoración como una actividad sagrada y ha alentado nuestro proceso de santificación y la aplicación de la disciplina en la iglesia.[17]

Estrategia para el desarrollo de liderazgo

Cuando pensé en el llamado de Dios de levantar una iglesia, una metáfora bíblica me vino a la mente: la iglesia como la construcción de un edificio. Todos sabemos que el primer paso en el proceso de construcción es colocar los fundamentos. Al pensar en la iglesia, se hace evidente que la iglesia del Nuevo Testamento estableció dos pilares principales: uno en relación con la enseñanza (la doctrina) y otro en relación con las personas (el liderazgo). El liderazgo es vital para la vida de la iglesia.[18]

---

[17] Para más detalles sobre nuestros valores nucleares mira Apéndice 1.
[18] Russell, *When God Builds a Church*, 73-84.

Pablo utilizó este lenguaje para ayudar a Timoteo a ser un pastor: "Lo que has oído de mí ante muchos testigos, esto encarga a hombres fieles que sean idóneos para enseñar también a otros" (2Ti 2:2). No podemos construir una iglesia sin ayuda de otros y, si lo hacemos, pronto nos percataremos de que el crecimiento de la iglesia se estanca para luego darnos cuenta de que la iglesia se desploma cuando el pastor desaparece de la escena.

Plantando y desarrollando nuestra iglesia, enfatizamos una y otra vez (desde el comienzo hasta ahora) la enseñanza de las doctrinas fundamentales para la iglesia (Cristo y todo el consejo de Dios) junto con el desarrollo de su liderazgo.[19] Consideramos que estas dos cosas son las principales columnas en las que descansa la IBI. Comenzamos por enseñar doctrina en nuestro primer estudio bíblico, examinando el evangelio de Juan, y lo hicimos a través de un curso interactivo semanal. Cerca de 30 personas vinieron a la fe a través de ese estudio en un período de cuatro a cinco meses. Desde entonces, hemos continuado enseñando y predicando de forma expositiva y doctrinal, pasando por cada libro de la Biblia. Esta práctica nos ha mantenido cerca de la revelación divina y nos ha protegido de inventos humanos.[20]

Al mirar hacia el pasado, recuerdo cómo comencé a capacitar a cuatro hombres para el liderazgo, cinco meses antes de inaugurar la iglesia, imitando de cierta forma lo que hizo Cristo. Por dos o tres años, Jesús capacitó a doce discípulos antes de que existiera alguna iglesia en Jerusalén. La capacitación de líderes debe preceder a la plantación y al desarrollo de una iglesia. Dieciocho años después, continuamos tomando de diez a catorce hombres cada dieciocho meses y los ingresamos a un curso de discipulado para líderes (que no es un entrenamiento doctrinal, sino una capacitación para el liderazgo). Nuestra

---

[19] John MacArthur, *The Master's Plan for the Church* [*El plan del Maestro para la iglesia*], (Chicago: Moody Publishers, 2008), 103-116.
[20] Mira Apéndice 2 para una lista de cursos y series de predicaciones.

iglesia nunca ha carecido de líderes y siempre hay gente lista para tomar el liderazgo cuando surgen nuevos ministerios. La formación de líderes es vital; queremos formar *líderes siervos* con una misma filosofía de ministerio, comprometidos con una visión en común. Cuando esta capacitación no se lleva a cabo, los problemas y las divisiones surgirán muy pronto. El fundamento de cada edificio determina el tamaño y la estabilidad del mismo. Eso sucede con cualquier iglesia. Este hecho explica el proceso seguido desde un inicio. La capacitación de líderes es muy importante debido a que como vayan los líderes, irá la iglesia. Como dijera el Pastor Tony Evans: "El liderazgo incluye instrucción y ejemplo".[21] Y Cristo lo dijo en Sus propias palabras: "Un discípulo no está por encima de su maestro; mas todo discípulo, después de que se ha preparado bien, será como su maestro" (Lc 6:40).

Al inicio, dejamos muy en claro que la capacitación para el liderazgo no garantiza una posición de liderazgo. Esta capacitación permite a las personas que están siendo capacitadas conocer su propio corazón y moldear su pensamiento para que lleguen a ser líderes espirituales dedicados a servir. A través del proceso, estas personas pueden descubrir nuestra filosofía de ministerio y decidir si desean añadirse a ella. Los que sirven en un mismo equipo deben estar de acuerdo no solo doctrinalmente, sino también en la forma de practicar el ministerio. Esto es muy importante para mantener una iglesia unida.

El líder como siervo es uno de nuestros valores no negociables, pero la unidad de la iglesia es otro valor importante. Después de dieciocho años desarrollando la iglesia, las divisiones nunca han sido un problema. Agradecemos a Dios por esta muestra de gracia.

La iglesia latinoamericana carece grandemente de liderazgo. La realidad es que la Gran Comisión no puede ser llevada a cabo sin un liderazgo apropiado. Por esta razón, creemos firmemente en el proceso

---

[21] Tony Evans, *God's Glorious Church* [*La iglesia gloriosa de Dios*], (Chicago: Moody Press, 2003), 173.

en que nos hemos embarcado. Los líderes de la iglesia de Dios deben ser capacitados doctrinalmente; sin embargo, alguien puede ser un erudito sin ser un líder espiritual.[22] Cualquiera que es puesto en una posición de liderazgo (pastores, diáconos, líderes ministeriales y aun ciertos ujieres) debe completar esta capacitación. Al reflejar el carácter de Cristo, muchos están aprendiendo por su ejemplo lo que significa vivir como cristiano. Además, este proceso de entrenamiento promueve la unidad.

Finalmente, el mejor uso de los líderes de una iglesia es colocar a cada hombre y mujer en el lugar en donde pueda servir de la mejor manera, de acuerdo con sus dones, talentos y llamado, lo cual genera en él o ella pasión por las áreas que dirige.[23] Es así como el apóstol Pablo lo plantea:

> Pero teniendo dones que difieren, según la gracia que nos ha sido dada, usémoslos: si el de profecía, úsese en proporción a la fe; si el de servicio, en servir; o el que enseña, en la enseñanza; el que exhorta, en la exhortación; el que da, con liberalidad; el que dirige, con diligencia; el que muestra misericordia, con alegría (Ro 12:6-8).

Esta es la palabra final sobre los siervos y el uso de los dones; es la revelación de Dios.

La adoración en la iglesia

Otro aspecto importante de la iglesia es la adoración comunitaria o corporativa. Desde el inicio hemos realizado grandes esfuerzos en

---

[22] Mira Apéndice 4 para una lista de temas que se discuten en nuestro curso de capacitación de líderes y Apéndice 5 para la bibliografía utilizada en la preparación de este curso.

[23] Mark Dever, *Nine Marks of a Healthy Church* [*Nueve características de una iglesia saludable*] (Wheaton, IL: Crossway Books, 2000), 218-222.

ayudar a que la gente comprenda que la adoración comunitaria es vital para la vida de iglesia.[24] Esto no solo es un deber; es un privilegio. Es nuestro gozo y, aún más, debería ser nuestra respuesta natural en agradecimiento al Único que es digno de todo honor y de toda gloria.

Los miembros del equipo de adoración en la IBI no han sido seleccionados primeramente por sus talentos, sino por su carácter y por su testimonio. Frecuentemente le recordamos a la iglesia que el carácter es más importante que el talento. Insistimos tanto en este punto que mantenemos este principio como uno de nuestros valores no negociables. Además, la iglesia ha puesto un énfasis en que la adoración sea bíblica. Menciono esto porque frecuentemente la adoración en la población latina ha sido más emocional que bíblica, y ha carecido de disciplina, contenido bíblico y reverencia. En muchas ocasiones, la alabanza ha sido utilizada para crear un puente entre una parte del servicio y otra, en lugar de realmente ser un tiempo de adoración.[25] Esto no honra al Señor, y aquellos con discernimiento perciben la adoración como algo irreverente, desordenado y mediocre. Bajo esas circunstancias, no hay incentivo para entrar al verdadero espíritu de adoración. Sin embargo, debemos recordar que la adoración es primordialmente para Dios. Por tanto, debe estar centrada en Cristo (Ap 5), ser bíblica (Jn 4:23), llena de gozo (Sal 71:23) y culturalmente apropiada.[26]

La unidad familiar

Una vez le dije a un pastor que no existen iglesias fuertes ni débiles, sino familias fuertes o débiles que componen las iglesias. Como John

---

[24] John Stott, *The Living Church* [*La iglesia viviente*], (Downers Grove: InterVarsity Press Books, 2007), 34-46.

[25] Ken Hemphill, *The Antioch Effect: 8 Characteristics of Highly Effective Churches* [*El efecto Antioquía: 8 características de iglesias altamente efectivas*], (Nashville: B & H Publishers, 1994), 45.

[26] Hemphill, *The Antioch Effect*, 43-51.

MacArthur dijo: "La familia es la unidad designada por Dios para transmitir la piedad de una generación a otra (Dt 6:7, 20-25)".[27]

Vivimos en medio de una sociedad muy fracturada, y las familias disfuncionales han creado una sociedad disfuncional. Cuando plantamos una iglesia en la actualidad, los nuevos convertidos vendrán de esos núcleos familiares. Así que las iglesias deben estar preparadas para lidiar con el mundo emocional de la generación actual. Si no hacemos esto, enfrentaremos mayores problemas a nivel de reuniones, comités y ministerios a causa de disensiones entre los miembros de la iglesia y entre pastores y ovejas. Por esta razón, iniciamos el ministerio de consejería bíblica desde el momento en que plantamos la iglesia. Ese ministerio, bajo mi responsabilidad en un inicio, ha crecido en la actualidad hasta el punto en que tenemos un pastor de consejería a tiempo completo y múltiples consejeros que le apoyan. Este ministerio ha sido una tremenda ayuda para la estabilidad de la iglesia. Un programa de discipulado voluntario para matrimonios de cuatro años de duración fue desarrollado para reforzar el entendimiento de lo que es el matrimonio, las expectativas del matrimonio, los roles del esposo y la esposa en la crianza de los hijos (ver Apéndice 6 para detalles de este programa).

Aparte de esto, nos hemos esforzado grandemente por enseñar la doctrina bíblica del *complementarianismo*. Esto ha sido enseñado desde el púlpito, en cursos y seminarios especiales, en grupos pequeños y en sesiones de consejería. Una iglesia sin esta enseñanza bíblica carecerá de fuerza y balance en el liderazgo.[28]

Para aquellos que están plantando iglesias en América Latina, me gustaría mencionar que la composición más común de las iglesias en nuestra región consiste de un mayor número de mujeres que de hombres. Esta ha sido mi experiencia personal y también la de otros. No

---

[27] MacArthur, *The Master's Plan for the Church*, 69.
[28] John Piper y Wayne Grudem, *An Overview of Central Concern: Questions & Answers, in Recovering Biblical Manhood and Womanhood* [*Preguntas y respuestas para recobrar a hombres y mujeres bíblicos*] (Wheaton, IL: Crossway Books, 1991).

fue diferente cuando nuestra iglesia empezó, pero ya no es así. Cuando identificamos el problema, comenzamos a orar por hombres en nuestras reuniones semanales de oración durante casi nueve meses. Incluso ayunamos y oramos con esto en mente, y Dios nos envió hombres; sin duda, nos envió muchos. El Señor nos instruyó en esta dirección: "La mies es mucha, pero los obreros pocos. Por tanto, rogad al Señor de la mies que envíe obreros a Su mies" (Mt 9:37-38). La oración es un instrumento subestimado en la mayoría de las personas y de las iglesias. Tristemente, muchas iglesias la han hecho a un lado y la han sustituido por la enseñanza, cuando en realidad estas dos cosas tienen igual importancia y responsabilidad. Henry y Melvin Blackaby están en lo correcto al decir: "Si la oración y la Palabra de Dios fueron primordiales en la vida de Cristo, y si fue la prioridad de los apóstoles en la iglesia primitiva, ambas cosas deben ser el foco de atención en nuestras iglesias".[29]

Nuestras oraciones precedieron por meses a nuestra plantación de la iglesia. De muchas maneras, estuvimos orando hace dieciocho años por los que ahora forman parte de nuestra iglesia. Mi esposa y yo comenzamos a orar cada día a las seis de la mañana, junto con otra hermana, seis meses antes de que la iglesia fuera inaugurada. Orábamos por nosotros mismos y por las personas que vendrían en el futuro. A través de los años, hemos visto esas oraciones contestadas.

Alcance

Como queremos ser una iglesia sin muros, buscamos oportunidades para alcanzar a la comunidad. No hacerlo sería ir en contra de lo que Cristo dijo tanto en la Gran Comisión como en Su oración por los discípulos: "Como Tú me enviaste al mundo, Yo también los he enviado

---

[29] Henry T. y Melvin Blackaby, *A God Centered Church* [*Una iglesia centrada en Dios*], (Nashville: B&H Publishing Group, 2007), 93

al mundo" (Jn 17:18). Las iglesias tendrán que encontrar diferentes maneras de ministrar a la comunidad que los rodea. Ese es el propósito de lo que hoy se conoce como iglesia misional. "Misional implica hacer misiones en donde estás.[30] [...] Una iglesia es misional cuando permanece fiel al evangelio y simultáneamente busca contextualizarlo (hasta donde sea posible) para que capture al oyente y transforme su cosmovisión".[31] Yo sugeriría no utilizar un solo modelo de iglesia misional. Seamos creativos, pero siempre bíblicos.

Un ministerio para alcanzar al profesional escéptico

He mencionado más de una vez que la clase educada de la población en América Latina, en su mayoría, no ha sido alcanzada. Por lo tanto, creamos un ministerio llamado "Integridad y Sabiduría" con la intención de impactar a la sociedad al presentar al público en general la cosmovisión bíblica de diferentes formas. Por diez años hemos estado en televisión nacional en la República Dominicana y en muchos países de América Latina que han adquirido los programas grabados, hablando semanalmente de temas que afectan nuestra vida diaria. Hemos buscado resolver o dar explicación a muchas de las dudas existenciales que la mayoría tiene.[32] Esta presentación en canales seculares ha captado la atención de muchos profesionales, de los cuales muchos han venido a Cristo y ahora ya han sido discipulados. Algunos seminarios y conferencias también han sido organizados fuera de la iglesia buscando alcanzar al mismo tipo de personas.

Ministrando a los necesitados

Después de varios años desarrollando la iglesia, creamos un ministerio con el nombre "Sin muros" que se encarga de hacer diferentes tipos

---

[30] Ed Stetzer, *Planting Missional Churches* [*Plantando iglesias misionales*], (Nashville: B & H Academic, 2006), 19.

[31] Stetzer, *Planting Missional Churches*, 25.

[32] Mira Apéndice 3 para una muestra de los temas tratados durante los años.

de ministerios fuera de la iglesia para las personas necesitadas. En la actualidad, este ministerio visita semanalmente cuatro de las prisiones principales del país. Además, el ministerio "Sin muros" ha sido capaz de ofrecer apoyo médico y dental a comunidades pobres en ciertos períodos del año, en ocasiones en colaboración con equipos médicos que vienen de Estados Unidos. Dos veces al mes miembros de nuestra iglesia visitan uno de esos hospitales infantiles y oran y comparten el mensaje del evangelio a pacientes y familiares. Esta es una función importante de la iglesia cuando meditamos en las palabras del Señor:

> Entonces el Rey dirá a los de Su derecha: "Venid, benditos de Mi Padre, heredad el reino preparado para vosotros desde la fundación del mundo. "Porque tuve hambre, y me disteis de comer; tuve sed, y me disteis de beber; fui forastero, y me recibisteis; estaba desnudo, y me vestisteis; enfermo, y me visitasteis; en la cárcel, y vinisteis a Mí". Entonces los justos le responderán, diciendo: "Señor, ¿cuándo te vimos hambriento, y te dimos de comer, o sediento, y te dimos de beber? "¿Y cuándo como forastero, y te recibimos, o desnudo, y te vestimos? "¿Y cuándo enfermo, o en la cárcel, y vinimos a Ti?". Respondiendo el Rey, les dirá: "En verdad os digo que en cuanto lo hicisteis a uno de estos hermanos Míos, aun a los más pequeños, a Mí lo hicisteis" (Mt 25:34-40).

Oportunidades de educación

Instituto integridad y sabiduría. Este es nuestro instituto para el entrenamiento de pastores y líderes de futuras iglesias. Comenzó hace ocho años utilizando las mismas instalaciones de la iglesia. Fue diseñado teniendo en mente las necesidades de la población latinoamericana. Funciona de noche de manera presencial y en línea para aquellos que no puedan asistir a clases debido a su ubicación geográfica. Ofrecemos capacitación en tres diferentes áreas: ministerio pastoral, consejería bíblica y liderazgo de transformación que llamamos "concentraciones." Existe un programa central (fase 1) que todos necesitan completar, y después las personas pueden dirigirse a una de las tres ramas antes mencionadas. La última rama es para personas que no quieren dedicarse tiempo completo al ministerio o simplemente no sienten el llamado a ser pastor, líder o diácono, pero que sí desean continuar trabajando profesionalmente, tratando de influenciar en su lugar de trabajo.[33] A través de este programa reciben una cosmovisión bíblica sólida para proclamar y defender la fe. Pronto tendremos una rama para formar líderes de adoración también, que es un área de gran necesidad en nuestras iglesias (ver Apéndice 7 para conocer una lista de las materias ofrecidas).

Programa "Esperanza". Este programa también es conocido como "Aulas HOPE". Hace dos años la iglesia hizo un convenio con una de las principales escuelas privadas del país y creó un programa educativo cristiano para que niños de escasos recursos recibieran educación de calidad basada en la cosmovisión bíblica. El programa es el mismo programa bilingüe, acreditado por Estados Unidos, que recibe a niños de familias acaudaladas en uno de los colegios de la ciudad. Cuarenta y cinco niños provenientes de un sector de escasos recursos están siendo educados en las instalaciones de la iglesia. Todos comenzaron desde el nivel preescolar y la idea es llevarlos hasta completar la educación secundaria. Todos ellos están becados por miembros de nuestra iglesia o de otras iglesias y aún por algunas instituciones. Además, al recibir una educación gratuita, ellos reciben libros, uniformes, seguro médico y dental, así como desayunos y almuerzos diarios provistos por medio del programa sin costo alguno para ellos. Esta es una gran forma de comenzar a impactar a estas familias y de preparar a la siguiente generación para salir de la pobreza.

---

[33] Para más información sobre el "llamado voacional", lee Timothy Keller, *Every Good Endeavor: Connecting your Work to God's Work* [*Toda buena obra: Conectando tu trabajo con el trabajo de Dios*], (New York: Riverhead Trade, 2014).

La enseñanza de la Biblia en escuelas públicas. Dios nos ha abierto una puerta grande. Justo al lado de nuestra iglesia opera una escuela del ministerio de educación de nuestra nación. En esa escuela se nos ha dado la oportunidad de enseñar unas trece horas de clases a la semana en diferentes niveles donde el corazón de esta enseñanza es la Biblia. Esta escuela fue edificada en un terreno donado por nuestra iglesia para tales fines. Los niños que asisten provienen de un sector de escasos recursos próximo a la iglesia y lo mismo ocurre con aquellos que acuden al Programa Esperanza (HOPE). Ese sector está siendo evangelizado como parte de la influencia misional de la iglesia.

Plantación y replantación de iglesias

Estamos en el proceso de capacitar personas para que planten nuevas iglesias en el futuro; algunas de ellas han terminado o está realizando estudios de maestría en el Seminario Teológico Bautista del Sur [Southern Baptist Theological Seminary], a través de un acuerdo al que llegamos con la institución, mediante el cual nuestros estudiantes pueden revalidar materias por hasta una tercera parte del total de los créditos requeridos para completar una Maestría. Hasta ahora hemos enviado más de diez estudiantes y estamos ansiosos de ver lo que Dios hará en y a través de ellos.

Sin embargo, mientras estos estudiantes se preparan para el ministerio a tiempo completo, hemos comenzado a ayudar a pastores dominicanos quienes ya dirigían iglesias pequeñas y quienes necesitaban capacitación y apoyo económico. Esas iglesias necesitaban una visión clara y dirección. Este es el proceso que muchos llaman "replantar" una iglesia. Hemos ayudado a una iglesia haitiana a entrenar a su pastor en nuestra institución, sosteniéndole económicamente y pagando la renta mensual de las instalaciones de la iglesia. Ahora estamos destetando a la iglesia lentamente, para permitirle que sea autosustentable, lo que sería la meta de cada iglesia plantada. Hemos hecho algo muy similar con otras iglesias pequeñas. Replantar es una nueva idea que debería ser explorada cada vez más.[34] América Latina tiene miles de iglesias pequeñas que no han sido capaces de crecer ni tampoco de impactar a sus comunidades de alguna forma. Si estas iglesias pueden ser ayudadas para realizar su trabajo, muchas veces es muy conveniente seguir ese camino.

Creo que el plantar iglesias es probablemente la forma principal de expandir nuestra misión en la nueva era que vivimos actualmente. Las grandes campañas evangelistas de Billy Graham en Estados Unidos y alrededor del mundo y las de Luis Palau en América Latina no son hoy el mejor modelo como lo ha mostrado la experiencia. La disponibilidad de Internet ha disminuido el interés y la necesidad de participar en estas campañas. Además, la forma tradicional de hacer misiones ahora es menos efectiva por varias razones. El costo es una de ellas. Además, hay menos creyentes interesados en ser misioneros por tiempos prolongados, por lo que muchos se involucran en misiones de corto plazo (máximo cuatro años). Este modelo puede ser y está siendo utilizado, pero es menos efectivo, ya que generalmente los nuevos misioneros pasan el primer año ajustándose a su nuevo ambiente y el último preparándose para irse, sin saber si regresarán. Habiendo dicho todo lo anterior, tenemos la convicción (como otros antes que nosotros la han tenido) de que el plantar iglesias es probablemente la forma más efectiva de hacer trabajo misionero en la actualidad.

Nuestra iglesia está ahora colaborando en una sociedad con el ministerio llamado Alcanzando & Capacitando (Reaching and Teaching, dirigido por el Dr. David Sills, Director del Programa de Misiones del SBTS) que se dedica a entrenar a pastores en comunidades pobres de

---

[34] Mark DeVine y Darrin Patrick, *Replant: How a Dying Church Can Grow Again* [*Replantación: Cómo una iglesia agonizante puede vivir nuevamente*], (Colorado Springs: David C. Cook, 2014).

América Latina, incluyendo República Dominicana y especialmente Perú, cerca del Amazonas. Continuaremos haciendo esta clase de asociaciones, comprendiendo que la tarea es demasiado grande para realizarla en aislamiento. Si unimos fuerzas, reforzaremos el ministerio.

Misiones de la manera tradicional

Actualmente tenemos a una mujer soltera enviada a Taiwán como misionera tiempo completo en Taiwán. La iglesia sustentó su capacitación inicial y ahora la sustenta completamente en el extranjero. Esta misionera, muy esforzada, terminó una capacitación especial en el idioma mandarín. Alabamos a Dios por personas como ella. ¡Qué gran bendición ha sido el estar involucrados en el cumplimiento de la Gran Comisión en el lejano oriente! Esta es una ilustración de cómo América Latina ha comenzado a participar en la Gran Comisión, no solo siendo un campo misionero, sino también una fuerza misionera.[35] Continuaremos apoyando este tipo de esfuerzos y llamados divinos, pero permanecemos convencidos de que la plantación de iglesias con pastores nativos es una mejor forma de cumplir la Gran Comisión cada vez que esto sea posible.

Por otro lado la iglesia apoya económicamente el programa "Theological Famine Relief" ["Alivio de la Hambruna Teológica"] de la Coalición por el Evangelio, que se encarga de hacer llegar libros a regiones donde se dificulta o imposibilita la compra de libros cristianos. También apoyamos a misioneros enviados por otras agencias a lugares no alcanzados.

Múltiples programas de evangelización están siendo llevados a cabo en diferentes sectores y provincias de la nación con la finalidad

---

[35] Dana L. Robert, *Christian Mission: How Christianity Became a World Religion* [*Misión Cristiana: Como el Cristianismo se convirtió en una Religión Mundial*] (Hoboken, NJ: Wiley-Blackwell, 2009), 77.

de seguir alcanzando a aquellos que no han oído, que han "oído mal" o que han oído pero no han respondido.

Uniendo esfuerzos con creyentes del mismo sentir

Cuando llegamos a Santo Domingo, encontramos que muchas iglesias y líderes de iglesias que tenían doctrinas similares no estaban trabajando juntos, algunos por temor de ofender a otros y otros por diferencias tenidas en el pasado. Estos hermanos eran y son creyentes fieles, centrados en Cristo y guiados por el evangelio. Por el bien del evangelio y el reino de Dios, comenzamos a conversar con algunos de los pastores que estaban al frente de estas iglesias. Pronto comenzamos a compenetrarnos unos con otros, y Dios comenzó a bendecir estos esfuerzos. Con esto en mente, nuestra iglesia desarrolló una conferencia anual bajo el nombre de "Por Su causa". El propósito de esta conferencia es proclamar la gloria del evangelio de Cristo y la progresión de Su reino por medio de líderes de iglesias bíblicas que trabajan como heraldos. Hemos desarrollado cinco temas principales hasta ahora: doctrina, liderazgo, adoración, el poder de la Palabra de Dios, y la iglesia como una institución que prevalecerá. Con ese propósito, hemos invitado a oradores internacionales para que se unan a nosotros a compartir la verdad de Dios. Entre los que han venido a predicar el mensaje de Dios se cuentan John Piper, C. J. Mahaney, Bob Kauflin, Jeff Purswell, Albert Mohler, John MacArthur, Steven Lawson, Mark Dever y otros. Estas conferencias han sido bien recibidas y hemos tenido asistencia de muchas personas de diferentes países latinoamericanos. Entre cinco y siete mil personas han asistido a estas conferencias cada año. Esto ha producido un gran entusiasmo entre el pueblo de Dios aquí en la República Dominicana, pero también fuera de ella. Las conferencias "Por Su causa" también se han convertido en un elemento de unidad para la batalla por la verdad y por Su reino.

Conclusión

En este capítulo he intentado resumir la filosofía del ministerio que la Iglesia Bautista Internacional ha tenido durante los últimos dieciocho años. Esta iglesia fue plantada teniendo pleno conocimiento de las deficiencias, necesidades, limitaciones y obstáculos de la iglesia latinoamericana. Muchas de las ideas expresadas aquí son probablemente necesarias en muchas de las iglesias en diferentes partes del mundo. Sin embargo, conociendo nuestra región mejor que ninguna otra, he presentado estas ideas para ser aplicadas principalmente en el mundo latinoamericano.

Nuestra iglesia fue plantada teniendo en cuenta que la clase que ha logrado educarse ha sido poco alcanzada por el evangelio, ya que muchos de los esfuerzos misioneros se han concentrado mayormente en los grupos menos educados. Esto ha sido así debido a las barreras del lenguaje y a que hay mayores necesidades en otros grupos. En segundo lugar, la iglesia fue plantada sabiendo que las iglesias fuera del primer mundo necesitan sostenerse cada vez más con sus propios recursos y no con ayuda extranjera. Y en tercer lugar, la iglesia fue plantada teniendo pleno conocimiento que las personas con recursos debían ser alcanzados principalmente porque estaban y están perdidos sin Cristo, pero también para que ayudaran a alcanzar a los menos afortunados. Es decir, los que tuvieran más educación y recursos serían los responsables de alcanzar a quienes carecían de ellos. El segundo "grande mandamiento", para usar las palabras de Jesús, demanda este tipo de respuesta (Mt 22:39).

Adicionalmente, las naciones nunca podrán ser transformadas bíblicamente si el grupo que dirige al país no es alcanzado por el evangelio. Si las personas que pertenecen a este grupo de la sociedad realmente son tocadas por el evangelio, ellos se involucrarán en el proceso de desarrollo político, social, judicial, médico y educativo del país. Así sucedió en Estados Unidos en el pasado y en Europa después de la

Reforma. Hago este comentario precisamente porque el punto principal de este libro es que el poder de la Palabra es capaz de transformar a la nación. Sin embargo, esa transformación sigue un curso.

Al describir el desarrollo de nuestra iglesia, podemos ver algunos de los elementos de "transformación nacional" que destacan:

1. Grupos educados e influyentes alcanzados por el evangelio.
2. La presentación semanal de la cosmovisión bíblica en la televisión.
3. El ofrecimiento de educación cristiana bilingüe y de calidad a niños necesitados sin costo para ellos (incluyendo libros, uniformes, seguro médico-odontológico, desayuno y almuerzo).
4. La enseñanza de la cosmovisión bíblica en una escuela pública perteneciente al Estado durante unas trece horas a la semana.
5. Las visitas semanales a cuatro de las prisiones más grandes de la nación (evangelismo y discipulado).
6. Los programas médicos y odontológicos en comunidades pobres.
7. Las visitas cada dos semanas a un hospital infantil con el propósito de evangelizar.
8. El establecimiento de instituciones de capacitación para futuros pastores y líderes en pro de un movimiento de plantación de iglesias.
9. La replantación de iglesias establecidas, dándoles una mejor visión y dirección.
10. La asociación con el ministerio Alcanzando & Capacitando [Reaching and Teaching] con el propósito de capacitar a pastores nacionales e internacionales, quienes nunca habían tenido la oportunidad de recibir educación.
11. El trabajo en conjunto con líderes de muchas iglesias para ser una voz unida ante el gobierno y la sociedad con respecto a asuntos nacionales importantes como el aborto, la homosexualidad,

los programas de educación sexual, la violencia, el control de drogas y muchos otros.

Ser sal y luz es un proceso que glorifica a Dios, que es cristocéntrico, bíblico y espiritual, pero que consume energía y afecta las emociones. Sin embargo, vale la pena tratar de lograrlo porque es nuestro llamado y nuestra responsabilidad. Es un gozo participar en el proceso más trascendental, universal y espiritual como siervos del Dios Altísimo, el Redentor del mundo. El interés de escribir este libro nació en mi corazón al contemplar cómo el continente latinoamericano se está "volviendo evangélico". Las naciones en esta región reportan un crecimiento numérico de evangélicos junto con un crecimiento de problemas sociales. Parece ser que la fe cristiana no está contribuyendo a la transformación de la sociedad. Por tanto, este libro presenta un análisis del problema y una propuesta para la iglesia evangélica.

Comencé por explicar por qué América Latina necesita ser reevangelizada, notando que, en su mayor parte, el evangelio presentado a los no convertidos ha sido diluido o distorsionado en muchos casos. Además de eso, la fe cristiana ha sido algo muy personal, que se vive en la iglesia o en la familia, pero no en público. Mi sueño es ver que en América Latina suceda una verdadera reforma con la esperanza de ver una transformación nacional o continental.

Al hablar sobre mis pensamientos con otros creyentes, algunos se mostraban escépticos con respecto a la idea de que Dios había dado Su Palabra con la intención de transformar o impactar también a la sociedad y no solo al individuo. Con esa objeción en mente, argumenté que la formación de naciones era parte del plan de Dios desde el inicio y de que Él tomó la iniciativa, después del diluvio, de crear a naciones a las que les prometió bendecirlas a través de la semilla de Abraham. Dios le dio a Israel los Diez Mandamientos al comenzar a formar la primera nación bajo Su guía, sabiendo que Su Palabra tiene el poder para organizar naciones. Al ver los Diez Mandamientos nos percatamos que representan muy bien la ley natural dada a los seres humanos. Ese conjunto de leyes ha influido muchas de las constituciones alrededor del mundo, aun si sus legisladores se niegan a admitirlo.

El inicio de la evangelización del Imperio Romano fue presentado en este libro como una ilustración de cómo la predicación no adulterada de la Palabra de Dios es capaz de cambiar, no solo el corazón de una persona, sino también el corazón de una nación. Todo inicia con una persona, después una familia, una iglesia, una comunidad, una ciudad y finalmente, una nación. Este fue el caso de Europa después de la Reforma y fue el caso de Estados Unidos durante la época de los puritanos y épocas inmediatamente posteriores. Desafortunadamente, una nación como Estados Unidos, grandemente influenciada por los valores cristianos, se ha alejado tanto de Dios que en la actualidad está cosechando las monumentales consecuencias de vivir violando Su ley.

En la parte final de este libro hice un llamado a los pastores latinoamericanos a adoptar el evangelio en su forma más pura y a predicar todo el consejo de Dios, creyendo que la Palabra de Dios es el único instrumento para transformar el corazón y la mente del individuo. Finalmente presenté a nuestra iglesia (IBI) como un modelo (no el único modelo) de cómo una comunidad de personas transformadas pueden influenciar el presente y futuro de una nación.

Convencido de que Dios ha comenzado algo extraordinario en el mundo hispanohablante y persuadido del poder del evangelio, te extiendo un reto en nombre de nuestro Señor Jesucristo, y por la expansión del reino de Dios aquí en la tierra: "Predica la palabra; insiste a tiempo y fuera de tiempo..." (2Ti 4:2). No desmayes al hacerlo porque solo la Palabra tiene el poder de transformar al hombre. Cuando Dios habla, las cosas ocurren. Predica todo el consejo de Dios así los demás "escuchen o dejen de escuchar..." (Ez 3:11). La sociedad de nuestros días te pedirá entretenimiento en vez de la Palabra de Dios, "Pero tú, sé sobrio en todas las cosas, sufre penalidades, haz el trabajo de un evangelista, cumple tu ministerio" (2Ti 4:5). Ven y únete a todo un ejército que Dios está levantando. Sueña con una América Latina para Cristo alcanzada únicamente por medio del poder del evangelio. Vayamos junto con muchos otros al Señor de la mies para que Él envíe obreros a Su mies. Sí, la mies es mucha y los obreros son pocos, pero grande es nuestro Dios. Él nos ha abierto una puerta que ya nadie podrá cerrar y está cerrando otra puerta en muchas iglesias (el evangelio distorsionado) que nadie podrá abrir. ¡No te amedrentes! Sé parte de algo fresco que Dios está haciendo. ¡No te intimides! Toda autoridad le ha sido dada a Cristo en el cielo y en la tierra. Por tanto, no tienes que temer a las fuerzas espirituales de maldad en las regiones celestiales; ellas fueron despojadas de su poder en la cruz (Col 2:15) y están bajo Su señorío. Si toda autoridad le ha sido dada a Cristo, no tienes que temer a los gobernantes de turno, ni a nuestros tiempos cambiantes, ni aún a la revolución moral de nuestros días, porque todo yace bajo Su poder. El que tiene toda autoridad estará con nosotros todos los días, hasta el fin del mundo. Él tiene la autoridad y nosotros tenemos Su presencia.

Finalmente:

Al que está sentado en el trono, y al Cordero,
sea la alabanza, la honra, la gloria y el dominio
por los siglos de los siglos.

– Apocalipsis 5:13

¡A Dios sea la gloria!

apéndice 1

VALORES NO NEGOCIABLES DE LA IGLESIA BAUTISTA INTERNACIONAL

1. Conocer, amar y glorificar a Dios.
2. Su Palabra como el único estándar de la verdad en asuntos de fe y práctica.
3. Adoración bíblica y cristocéntrica.
4. Distinguir entre las cosas ordinarias de los hombres y las cosas extraordinarias y trascendentales de Dios.
5. Un liderazgo conforme a la madurez espiritual, llamado, capacitación y su uso de acuerdo a los dones.
6. Enfoque misional: impactar a la comunidad con el evangelio y ayuda a los necesitados.
7. Evangelismo y misiones a través de plantación de iglesias.
8. Discipulado multitudinario: doctrina, liderazgo, complementarianismo como visión bíblica del matrimonio y el estilo de vida.
9. Vidas transformadas como la única medida del éxito.
10. El carácter como virtud es más importante que el talento.
11. Excelencia que honre a Dios.
12. Compromiso con una visión en común.
13. Reforzamiento de la unidad familiar.
14. Amar a tu prójimo.
15. Perdón incondicional.

apéndice 2

SERIES DE ENSEÑANZAS DE
LA IGLESIA BAUTISTA INTERNACIONAL

Serie inicial de predicaciones expositivas
Los primeros siete años de la iglesia
1. El carácter de Dios.
2. La epístola a los Hebreos.
3. El libro de Hechos.
4. La epístola a los Efesios.

Observaciones

El carácter de Dios fue elegido como la serie inicial porque creemos que vivimos en medio de un "eclipse" de Dios. El dios de esta generación es demasiado pequeño y, por ello, los corazones de los creyentes e incrédulos no son movidos en la dirección de Dios. Queríamos asegurarnos de que la gente comprendiera qué clase de Dios nos ha llamado a adorarle y a servirle. Nuestro primer valor no negociable es "conocer, amar y glorificar a Dios en todo lo que hacemos". Por tanto, esta era una serie apropiada para iniciar la iglesia.

El libro de Hebreos fue elegido porque estábamos recibiendo desde el inicio un buen número de católicos no convertidos, quienes necesitaban comprender cómo pasamos del Antiguo Testamento al Nuevo Testamento, enfocándonos en el rol de Cristo como nuestro sumo sacerdote, superior a Moisés como profeta, superior a Aarón como sacerdote y superior a los ángeles quienes son Sus emisarios. El Antiguo Pacto se cumplió y fue dejado atrás y un Nuevo Pacto, con estipulaciones nuevas, fue celebrado. Los ojos de muchos católicos fueron abiertos y las viejas creencias fueron dejadas atrás. Este libro apoyó otro de nuestros valores no negociables: ser cristocéntricos.

El libro de Hechos fue una serie extraordinaria. Para una nueva iglesia, ver cómo nació, creció y se expandió la iglesia primitiva fue algo grandioso para nosotros. Bendijo al pueblo de Dios; reafirmó en el predicador (a mí) la necesidad de ser guiado por el Espíritu Santo y dio esperanza para nuestro propio crecimiento y expansión.

Efesios fue nuestra primera serie de maduración. Después de estudiar las series previas, la iglesia estaba preparada para profundizar en la doctrina de la predestinación (Ef 1), la doctrina de la iglesia e incluso la doctrina del matrimonio (Ef 5). Por tanto, esta serie apoyaría varios de nuestros valores no negociables: la enseñanza cristocéntrica, la importancia de una iglesia local y el fortalecimiento de la unidad familiar.

Serie inicial de enseñanza – Estudios bíblicos interactivos
Los primeros cuatro años

1. El evangelio de Juan
2. El estudio de nuestra declaración de fe:
    a. Biblia
    b. Dios
    c. Cristo
    d. Espíritu Santo y Sus dones
    e. Ser humano: creación, caída y redención
    f. Pecado
    g. Salvación
    h. Iglesia
    i. Últimas cosas

3. Discipulado: Serie de la Vida del Maestro, volúmenes 1 al 4 de Avery T. Willis
    a. Volumen 1: La cruz del discípulo

b. Volumen 2: La personalidad del discípulo

c. Volumen 3: La victoria del discípulo

d. Volumen 4: La misión del discípulo

Observaciones

El evangelio de Juan fue nuestro primer estudio en los Evangelios. Cerca de treinta personas conocieron al Señor en los primeros meses de la plantación de la iglesia.

El estudio de nuestra declaración de fe fue un mini curso de teología sistemática para toda la iglesia. Esto comunicaba lo que nosotros creemos, proveía un buen fundamento y nos permitía unir a las personas en una serie de creencias en común. También comenzó a formar de manera teológica a los primeros líderes.

La serie de la Vida del Maestro fue una serie maravillosa para los nuevos creyentes. Esta serie trata de aspectos prácticos de la vida del discípulo, incluyendo temas como el estudio de la Palabra, la oración, la confesión, el arrepentimiento, el servicio, el morir a uno mismo, las emociones, las ofrendas, la membresía, el concepto bíblico de vivir en el Espíritu, las misiones y muchos más.

apéndice 3

LA COSMOVISIÓN BÍBLICA PRESENTADA EN TELEVISIÓN

1. La existencia de Dios (2 programas)
2. Creación vs. Evolución
3. Confiabilidad de la Biblia (2 programas)
4. Jesús (6 programas)
5. La sociedad de valores relativos
6. Historia de la iglesia (4 programas)
7. El ser humano en su búsqueda espiritual (10 programas)
   a. Origen de la religión
   b. Fundadores de la fe
   c. Textos sagrados de la religión
   d. Santería
   e. Astrología
   f. Nuevas religiones
   g. Cienciología y el poder de la mente humana
   h. Católicos y evangélicos (4 programas)
   i. Testigos de Jehová y evangélicos
   j. La Iglesia de Jesucristo de los Santos de los Últimos Días
8. Homosexualidad (4 programas)
9. Sexualidad humana (2 programas)
10. La búsqueda de significado (3 programas)
11. La iglesia (5 programas)
12. Israel y el conflicto de Medio Oriente (4 programas)
13. Ética cristiana y bioética (7 programas)
14. Dilemas legales (4 programas)
15. El carácter de Dios / el Espíritu Santo (7 programas)
16. Vida familiar (8 programas)

17. Entendiendo los tiempos (5 programas)
18. Biografía de los reformadores (4 programas)
19. Tu trabajo es importante para Dios (3 programas)
20. Una persona de integridad (4 programas)
21. Caminando de acuerdo con la sabiduría de Dios (3 programas)
22. La vanidad de la vida (3 programas)
23. Un líder para esta generación (7 programas)
24. Dios en medio del dolor y el sufrimiento (4 programas)
25. Destruyendo los ídolos del corazón (6 programas)
26. Organizando mi mudo interior (4 programas)
27. Una generación preocupada y agitada (4 programas)
28. La vida a través del lente de Dios (4 programas)
29. Reparando mis relaciones (4 programas)
30. Dónde estamos y hacia dónde vamos (3 programas)
31. Gobierno, economía y ciencia a través del lente de Dios
    (5 programas)
32. Sanar es cambiar (4 programas)
33. El matrimonio en crisis en una sociedad perdida (9 programas)
34. Temas y doctrinas controversiales (6 programas)
35. Muchos otros títulos individuales (múltiples programas)

apéndice 4

CLASES DE CAPACITACIÓN PARA LÍDERES

1. Liderazgo espiritual
2. El líder, su carácter y su influencia
3. El líder y su santidad
4. Un hombre de Dios
5. Jesús, el líder siervo
6. El líder y su llamado
7. El líder y sus metas
8. El líder y su mundo interior
9. ¿Qué descalifica a un líder?
10. Como resistir la tentación
11. Como terminar bien la carrera
12. El líder y su equipo
13. El líder y sus convicciones
14. El líder y la oposición
15. El líder y su misión
16. Cómo ser agentes de reconciliación
17. El carácter moral de un pastor
18. Desarrollando el líder que vive en ti

BIBLIOGRAFÍA UTILIZADA EN EL CURSO
DE CAPACITACIÓN PARA LÍDERES

1. *Spiritual Leadership* [*Liderazgo Espiritual*], Henry Blackaby
2. *Spiritual Leadership* [*Liderazgo Espiritual*], Oswald Sanders
3. *Biblical Eldership* [*Liderazgo bíblico de ancianos*], Alexander Strauch
4. *The Conviction to Lead* [*Convicción para liderar*], Albert Mohler
5. *Pastoral Leadership for Manhood and Womanhood* [*Liderazgo Pastoral para la masculinidad y feminidad*], Wayne Grudem
6. *On Being Pastor* [*Sobre ser pastor*], Derek Prime & Alistair Begg
7. *The Book on Leadership* [*El libro sobre liderazgo*], John MacArthur
8. *The Elder* [*El obispo*], Cornelis Van Dam
9. *In Pursuit of Leadership* [*En búsqueda de liderazgo*], Greg Morris
10. *The 17 Indisputable laws of Teamwork* [*Las 17 leyes indiscutibles del trabajo en equipo*], John Maxwell
11. *The Top Ten Mistakes Leaders Make* [*Los diez errores más comunes que los líderes cometen*], Hans Finzel
12. *The Servant Leader* [*El líder siervo*], Ken Blanchard & Phil Hodges
13. *Finishing Strong* [*Terminando Bien*], Steve Farrar
14. *The Man in the Mirror* [*El hombre frente al espejo*], Patrick Morley
15. *Ten Powerful Principles for Christian Service* [*Diez poderosos principios del servicio cristiano*], Warren Wiersbe

apéndice 6

DISCIPULADO MATRIMONIAL

1. Año uno: El concepto del matrimonio
   Bibliografía: *Matrimonio sagrado*, Gary Thomas

2. Año dos: Expectativas del matrimonio
   Bibliografía: *¿Qué estabas esperando?*, Paul Tripp
   Cuando pecadores dicen: "Acepto", Dave Harvey

3. Año tres: Los roles en el matrimonio
   Bibliografía: *El esposo ejemplar*, Stuart Scott
   La esposa excelente, Martha Peace

4. Año cuatro: Crianza de los hijos
   Bibliografía: *Cómo pastorear el corazón de tu hijo*, Tedd Tripp
   Me ha sido confiado el corazón de un niño: un estudio bíblico para la vida familiar, Betsy Corning

apéndice 7

PROGRAMA DEL INSTITUTO SABIDURÍA E INTEGRIDAD

Bloque básico / Fase I

Hermenéutica

Introducción al Antiguo Testamento

Comprendiendo los evangelios

Las epístolas

Hechos de los apóstoles

Romanos

Teología sistemática I y II

Cosmovisión / Apologética I

Principios de liderazgo espiritual

Integridad y Sabiduría

Comunicación efectiva de la Palabra de Dios

Concentraciones disponibles / Fase II

Ministerio pastoral

Teología bíblica

Pastores conforme a Su corazón

El pastor y su práctica ministerial

Construyendo una iglesia bíblica

Griego bíblico I y II

La teología de la predicación

Predicación expositiva I

Ética cristiana

Epístolas pastorales

Evangelismo y misiones
Historia de la iglesia
Sectas y religiones
Consejería bíblica I y II
Proyecto de práctica ministerial

Consejería bíblica

Consejería bíblica I, II y III
Ética cristiana
Sabiduría divina: Proverbios y Eclesiastés
Una carne: Teología y práctica
Disciplinas espirituales
Pastoreando el corazón de un niño a la manera de Dios
Proyecto de práctica ministerial

Liderazgo de transformación

Las ideas tienen consecuencias
Una pasión por Dios y Su trabajo de redención en el mundo
Liderazgo que transforma
La ley de Dios y la sociedad contemporánea
La influencia del cristianismo en la historia
La perspectiva cristiana del trabajo
Cosmovisión / Apologética II y III
El mensaje de los profetas
Proyecto de práctica ministerial

ÍNDICE DE LAS ESCRITURAS

BIBLIOGRAFÍA

"Abortion Statistics", *NRL News Today*. Mayo 2, 2014. http://www.
nationalrighttolifenews.org/news/wp-content/uploads/2012/01/statsre.jpg.

Adams, James Truslow. *The American Dream*, New York: Simon Publications, 2001.

Aikman, David. *The Delusion of Disbelief: Why the New Atheism Is a Threat to Your
Life, Liberty, and Pursuit of Happiness*, Carol Stream, IL: Tyndale House
Publishers, 2008. Kindle.

Aikman, David. *One Nation without God? The Battle for Christianity in an Age of
Unbelief*, Grand Rapids: Baker Books, 2012.

Alvarez, Carmelo. *Panorama Histórico dos Pentecostalismos Latino Americanos
e Caribenhos*, Sao Paulo, Brazil: Asociación de Iglesias Presbiterianas y
Reformadas de América Latina, 1996.

Amadeo, Kimberly Amadeo. "What Is the U.S. National Debt and How Did It
Get So Big?". Abril 4, 2014. http://useconomy.about.com/od/fiscalpolicy/p/
US_Debt.htm.

American Academy of Pediatrics, Committee on Public Education. "Media
Violence", *Pediatrics* 108, no. 5 (noviembre de 2001), 1222-26.

Amos, Scott. *Revolutions in Worldview: Understanding the flow of Western Thought*
ed. Andrew Hoffecker, 206-39. Phillipsburg, NJ: P&R Publishing, 2007.

Armstrong, Hayward, Mark McClellan, y David Sills. *Introducción a la Misiología*.
Louisville: Reaching and Teaching International Ministry, 2011.

Arnold, Clinton E. *Zondervan Illustrated Bible Backgrounds Commentary*, Ed.
Clinton E. Arnold, 219-489. Grand Rapids: Zondervan, 2002.

Bahnsen, Greg L., Walter C. Kaiser, Jr., Douglas J. Moo, Wayne G. Strickland
y Willem A VanGemeren, ed. Stanley N. Gundry. *Five Views on Law and
Gospel*, Grand Rapids: Zondervan, 1999.

Baker, Jim. *I Was Wrong: The Untold Story of the Shocking Journey from PTL Power to
Prison and Beyond*. Nashville: Thomas Nelson, 1996.

Barclay, William. *The Acts of the Apostles*, Louisville: Westminster John Knox Press,
2003.

Barclay, William. *The Ten Commandments*, Louisville: Westminster John Knox
Press, 1998.

Barker, William S., y Samuel T. Logan Jr., eds. *Sermons that Shaped America: A
Collection of Reformed Preaching from 1630 to 2001*, Phillipsburg, NJ: P&R
Publishing, 2003.

Barna, George. *The Power of Vision: Discover and Apply God's Plan for Your Life and
Ministry*, Ventura, CA: Regal, 1992.

Barrs, Jerram. *Delighting in the Law of the Lord*, Wheaton, IL: Crossway, 2013.

Bastian, Jean-Pierre. *La Mutación Religiosa de América Latina*. Ciudad de México:
Fondo de Cultura Económica, 1997.

Beale, G. K. *We Become What We Worship*, Wheaton, IL: IVP Academic, 2008.

Beardsley, Frank. *A History of American Revivals*, New York: American Tract Society, 2012. Kindle.

Beckwith, Francis, Craig William Lane, y J. P. Moreland. *To Everyone an Answer*, Downers Grove, IL: InterVarsity Press, 2004.

Beliles, Mark, y Stephen K. McDowell. *America's Providential History*, Charlottesville, VA: Providence Foundation, 2011. Kindle.

Bertrand, Mark J. *Rethinking Worldview*, Wheaton, IL: Crossway, 2007.

Blackaby, Henry T. y Melvin D. Blackaby. *A God Centered Church: Experiencing God Together*, Nashville: B&H Publishers, 2007.

Blackaby, Henry T. y Richard Blackaby. *Spiritual Leadership: Moving People on to God's Agenda*, Nashville: Broadman & Holman Publishers, 2001.

Blouet, Brian W., y Olwyn M. Blouet. *Latin America and The Caribbean: A Systematic and Regional Survey*, Danvers, MA: John Wiley & Sons, 2006.

Boa, Kenneth, y Robert M. Bowman, Jr. *Faith Has its Reasons*, Downers Grove, IL:InterVarsity Press, 2004.

Bock, Darrell L. *Acts, en Baker Exegetical Commentary on the New Testament*, Grand Rapids.: Baker Academic, 2007.

Boice, James Montgomery. *Acts: An Expositional Commentary*, Grand Rapids: Baker Books, 2006.

Boice, James Montgomery. *The Gospel of Matthew*, Grand Rapids: Baker Books, 2006.

Bowler, Kate. *Blessed: A History of the American Prosperity*, Oxford: Oxford University Press, 2013.

Braaten, Carl E., y Christopher R. Seitz. *I Am the Lord Your God: Christian Reflections on the Ten Commandments*, Grand Rapids: William B. Eerdmans Publishing Company, 2005.

Brown, Peter. *The World of Late Antiquity: AD 150-750*, Library of World Civilization. New York: Norton, 1989.

Bruce, F. F. *The Book of the Acts*, en *The New International Commentary on the New Testament*, Grand Rapids: William B. Eerdmans Publishing Company, 1988.

Bruce, Steve. *God Is Dead: Secularization in the West*, en *Religion in the Modern World*. Malden, MA: Blackwell Publications, 2002.

Bullmore, Mike. *The Gospel as Center*, ed. D. A. Carson y Timothy Keller, 41-54. Wheaton, IL: Crossway, 2012.

Calvin, John. *Genesis*, en *Calvin's Commentaries*, Grand Rapids: Baker Books, 1979.

Calvin, John. *The Institutes of the Christian Religion]*, Chicago: Acheron Press, 2012. Kindle.

Calvin, John. *John Calvin's Sermons on the Ten Commandments*, traducido por Benjamin Wirt Farley. Grand Rapids: Baker Books, 2000.

Carson, D. A. *Amordazando a Dios: El Cristianismo Frente Al Pluralismo*, traducido por Elena Flores Sanz. Barcelona, España: Publicaciones Andamio, 1999.

Carson, D. A. *Christ and Culture Revisited*, Grand Rapids: William B. Eerdmans Publishing Company, 2008.

Carson, D. A. *Jesus' Sermon on the Mount and His Confrontation with the World*, Grand Rapids: Baker Books, 1987.

Carson, D. A., y Douglas J. Moo. *An Introduction to the New Testament,* Grand Rapids: Zondervan, 2005.

Carter, Stephen L. *Integrity,* New York: Harper Collins, 1996.

Carter, Warren. *Seven Events That Shaped the New Testament World,* Grand Rapids: Baker Academic, 2013.

Catholic Church. *Catechism of the Catholic Church,* Libreria Editrice Vaticana. Liguori, MO: Liguori Publications, 1994.

Center for Disease Control and Prevention. *Morbidity and Mortality Weekly Report* 62, (noviembre 29 de 2013), 1-44.

Center for Disease Control and Prevention. "National Violent Death Reporting System". Mayo 26, 2014. http://www.cdc.gov/violencePrevention/NVDRS / index.html.

Chapell, Bryan. *Christ-Centered Preaching: Redeeming the Expository Sermon,* segunda edición. Grand Rapids: Baker Academic, 2005.

Chesterton, G. K. *What's Wrong with the World,* San Francisco: Ignatius Press, 1994.

Chuchiak, John F., IV. *The Inquisition in New Spain, 1536-1820: A Documentary History,* Baltimore: Johns Hopkins University Press, 2012.

Clouser, Roy. *The Myth of Religious Neutrality: An Essay on the Hidden Role of Religious Beliefs in Theories,* South Bend, IN: University of Notre Dame Press, 1991.

Colson, Charles. *Who Speaks for God?,* Carol Stream, IL: Tyndale House, 1994.

Colson, Charles, y Nancy Pearcey. *How Now Shall We Live?,* Wheaton, IL: Tyndale House, 2004.

Copan, Paul. *True for You, but Not for Me: Deflating the Slogans that Leave Christians Speechless,* Minneapolis: Bethany House Publishers, 1998.

Cope, Landa L. *An Introduction to the Old Testament Template: Rediscovering God's Principles for Discipling Nations,* Seattle: YWAM Publications, 2011.

Craigie, Peter C. *The Book of Deuteronomy,* en *The New International Commentary on the Old Testament,* Grand Rapids: W.B. Eerdmans Publishing Company, 1976.

Crouch, Andy. *Culture Making,* Downers Grove, IL: InterVarsity Press, 2008.

Culver, Robert Duncan. *Systematic Theology: Biblical and Historical,* Fearn, Scotland: Mentor, 2005.

Deiros, Pablo Alberto. *Historia del Cristianismo en América Latina.* Buenos Aires: Fraternidad Teológica Latinoamericana, 1992.

Demos. "Federal Revenue Lost to Tax Evasion". Mayo 5, 2014. http://www.demos.org/data-byte/federal-revenue-lost-tax-evasion.

Dever, Mark. *The Message of the New Testament: Promises Kept,* Wheaton, IL: Crossway Books, 2005.

Dever, Mark. *Nine Marks of a Healthy Church,* Wheaton, IL: Crossway Books, 2000.

DeVine, Mark, y Darrin Patrick. *Replant: How a Dying Church Can Grow Again,* Colorado Springs: David C. Cook, 2014.

Di Tella, Rafael, Sebastian Edwards, y Ernesto Schargrodsky, eds. *The Economics of Crime: Lessons for and from Latin America,* A National Bureau of Economic Research Conference Report. Chicago: University of Chicago Press, 2010.

Doerflinger, Richard M. *First Things*, (de agosto a septiembre de 2001), 68-72.

Douma, Jochem. *The Ten Commandments: Manual for the Christian Life*, Phillipsburg, NJ: P&R Publishing, 1996.

Douthat, Ross Gregory. *Bad Religion: How We Became a Nation of Heretics*, New York: Free Press, 2012.

Dunphy, John J. *The Humanist*, 43 (enero-febrero de 1983), 26.

Dunphy, John J. "Edwards v. Aguillard 482 U.S. 578 (1987)", Mayo 26, 2014. https://supreme.justia.com/cases/federal/us/482/578/case.html.

Edwards, Jonathan. *Jonathan Edwards on Revival*, Edinburgh: Banner of Truth Trust, 1984. Kindle.

Elwell, Robert y Robert Yarbrough. *Encountering the New Testament*, Baker Academic. Grand Rapids: Baker Academic, 2005.

"Engel v. Vitale 370 U.S. 421 (1962)". Septiembre 11, 2014. https://supreme.justia.com/cases/federal/us/370/421/case.html.

"Epperson v. Arkansas 393 U.S. 97 (1968)". Mayo 26, 2014. https://supreme.justia.com/cases/federal/us/393/97/case.html.

Erickson, Millard J. *Christian Theology*, Grand Rapids: Baker Books, 1985.

Erickson, Millard J. *The Evangelical Mind and Heart*, Grand Rapids: Baker Book House, 1993.

Erickson, Millard J. *The Postmodern World: Discerning the Times and the Spirit of Our Age*, Wheaton, IL: Crossway Books, 2002.

Evans, G. R. *The History of Christian Europe*, Oxford: Lion, 2009.

Evans, Tony. *God's Glorious Church*, Chicago: Moody Press, 2003.

Fagan, Patrick F. *"Why Religion Matters: The Impact of Religious Practice on Social Stability"*, *Heritage Foundation Backgrounder* 1064 (enero 25 de 1996), 1-28.

Federal Reserve. "Credit Card Debt Statistics". Abril 4, 2014. http://www.statisticbrain.com/credit-card-debt-statistics.

Ferguson, Everett, John Woodbridge D. y Frank James A. *Church History*, Grand Rapids: Zondervan, 2005.

Finer, Lawrence B., Lori F. Frohwirth, Lindsay A. Dauphinee, Susheela Singh, y Ann M. Moore, *Perspectives on Sexual and Reproductive Health*, no. 3 (2005), 110-18.

Foster, Richard. *Money, Sex and Power*, New York: Harper Collins Publishers, 1985.

"Four Spiritual Laws", Cru Ministry Resources. Campus Crusade for Christ International, Mayo 25, 2014. http://www.crustore.org/fourlawseng.htm.

Frame, John M. *The Doctrine of the Christian Life*, Phillipsburg, NJ: P&R Publishing, 2008.

Frame, John M. *The Doctrine of the Word of God. Theology of Lordship*, Phillipsburg, NJ: P&R Publishing, 2010.

Frame, John M. *Salvation Belongs to the Lord: An Introduction to Systematic Theology*, Phillipsburg, NJ: P&R Publishing, 2006.

Freston, Paul. *Evangelical Christianity and Democracy in Latin America*, Oxford: Oxford University Press, 2008.

Fromke, DeVern. *No Other Foundation: A God-Centered Emphasis*, Cloverdale, IN: Sure Foundation, 1985.

Fuller-Thomson, Esme, J. Filippelli y C. A. Lue-Crisostomo, "Gender-Specific Association between Childhood Adversities and Smoking in Adulthood: Findings from a Population-Based Study", *Journal of Public Health* 127, no. 5 (mayo de 2013), 401-500.

Gange, Robert. *Origins and Destiny, A Scientist examines God's Handiwork*, Dallas: Word Publishing, 1986.

Garrard-Burnett, Virginia. *Like a Mighty Rushing Wind in Religion and Society in Latin America*, ed. Lee M. Penyak y Walter J. Petry. Maryknoll, NY: Orbis Books, 2009.

Garrard-Burnett, Virginia y David Stoll. *Rethinking Protestantism in Latin America*, Philadelphia: Temple University Press, 1993.

Garrison, V. David. *Movimientos de Plantación de Iglesias: Cómo Dios Está Redimiendo Al Mundo Perdido.* El Paso: Editorial Mundo Hispano, 2005.

Gaustad, Edwin S., y Mark A. Noll. *A Documentary History of Religion in America since 1877*, Grand Rapids: William B. Eerdmans Publishing Company, 2003.

Geisler, Norman L. *Christian Apologetics*, Grand Rapids: Baker Books, 1976.

Come Let Us Reason: An Introduction to Logical Thinking, Grand Rapids: Baker Book House, 1990.

"The Conservative Agenda: Its Basis and Its Basics". Mayo 26, 2014. http://www.normgeisler.com/articles/political/TheConservativeAgendaBasisAndBasics.htm

Geisler, Norman, y Randy Douglas. *Integrity at Work*, Grand Rapids: Baker Books, 2007.

Geisler, Norman, y Frank Turek. *I Don't Have Enough Faith to Be an Atheist*, Wheaton, IL: Crossway Books, 2004.

George, Timothy. *The Theology of the Reformers*, Nashville: B&H Academic, 2013.

Goheen, Michael W. *Introducing Christian Mission Today*, Downers Grove, IL: IVP Academic, 2014.

Goheen, Michael y Craig G. Bartholomew. *Living at the Crossroads: An Introduction to Christian Worldview*, Grand Rapids: Baker Academic, 2008.

Gómez, Ricardo. *The Mission of Latin America*, Lexington, Y: Emeth Press, 2010.

González, Justo L. y Catherine G. Gonzalez. *Liberation Preaching*, Nashville: Abingdon, 1980.

González, Ondina E. y Justo L. González. *Christianity in Latin America*, Cambridge: Cambridge University Press, 2008.

Gowan, Donald E. *Theology in Exodus*, Louisville: Westminster John Knox Press, 1994.

Green, Gene L. *Mission in Acts: Ancient Narratives in Contemporary Context*, ed. Robert L. Gallagher y Paul Hertig, 209-220. Maryknoll, NY: Orbis Books, 2004.

Grudem, Wayne. *Politics According to the Bible*, Grand Rapids: Zondervan, 2010.

Systematic Theology, Grand Rapids: Zondervan, 1994.

Grudem, Wayne y Barry Asmus. *The Poverty of Nations: A Sustainable Solution*, Wheaton, IL: Crossway Books, 2013.

Gundry, Robert H. *Commentary on Acts*, en *Commentary on the New Testament*, Grand Rapids: Baker Publishing Group, 2011. Kindle

A Survey of the New Testament, Grand Rapids: Zondervan, 2003.

Gustavo Gutiérrez, *A Theology of Liberation: History, Politics, and Salvation*, Rev. ed. London: Orbis Books, 2001.

Guzik, David. *Genesis*, en *The Enduring Word Commentary Series*, Santa Barbara, CA: Enduring Word Media, 2012. Kindle.

Habermas, Gary. *The Risen Jesus and Future Hope*, Lanham, MD: Rowman & Littlefield Publishers, 2003.

Hall, Verna M. *The Christian History of the American Revolution*, San Francisco: Foundation for American Christian Education, 1976.

Hamilton, Victor P. *The Book of Genesis*, en *The New International Commentary on the Old Testament*, Grand Rapids: W.B. Eerdmans Publishing Co., 1990.

Haraszti, Zoltán. *John Adams and the Prophets of Progress*, Cambridge, MA: Harvard University Press, 1952.

Hart, Benjamin. *Faith and Freedom*, Ottawa, IL: Jameson Books, 2010.

Hartch, Todd. *The Rebirth of Latin American Christianity*, Oxford: Oxford University Press, 2014.

Haykin, Michael A. G., Kenneth Stewart J. y Timothy George. *The Advent of Evangelicalism: Exploring Historical Continuities*, Nashville: B&H Academic, 2008.

Hemphill, Ken. *8 Characteristics of Highly Effective Churches*, Nashville: B & H Publishers, 1994.

Henry, Carl F. H. *Christian Countermoves in a Decadent Culture*, Portland, OR: Multnomah Press, 1986.

Henry, Carl F. H. *The Christian Mindset In A Secular Society*, Portland, OR: Multnomah Press, 1984.

Henry, Carl F. H. *Twilight of a Great Civilization: The Drift Toward Neo-Paganism*, Westchester, IL: Crossway Books, 1988.

Henry, Carl F. H. *The Uneasy Conscience of Modern Fundamentalism*, Grand Rapids: W.B. Eerdmans Press, 2003.

Henry, Carl F. H., D. A. Carson y John Woodbridge D. *God and Culture: Essays in Honor of Carl F. H. Henry*, Grand Rapids: Eerdmans, 1993.

Hiebert, Paul G. *Transforming Worldviews*, Grand Rapids: Baker Academic, 2008.

Hill, Jonathan. *What Has Christianity Ever Done for Us? How It Shaped the Modern World*, Downers Grove, IL: InterVarsity Press, 2005.

Hoffecker, Andrew. *Revolutions in Worldview: Understanding the Flow of Western Thought*, Phillipsburg, NJ: P&R Publishing, 2007.

Hoggs, R. S. "Modeling the Impact of HIV Disease on Mortality in Gay and Bisexual Men", *International Journal of Epidemiology*, no. 26 (1997), 657-661.

Horton, Michael S. *Christless Christianity: The Alternative Gospel of the American Church*, Grand Rapids: Baker Books, 2008.

Horton, Michael S. *The Law of Perfect Freedom*, Chicago: Moody Publishers, 1993.

Horton, Michael S. *Made in America: The Shaping of Modern American Evangelicalism*, Grand Rapids: Baker Book House, 1991.

Huffman, Douglas S. *Christian Contours: How a Biblical Worldview Shapes the Mind and Heart*, Grand Rapids: Kregel Publications, 2011.

Hughes, R. Kent. *Acts: The Church Afire*, Wheaton, IL: Crossway Books, 1996.

Hughes, Richard T. *Christian America, and the Kingdom of God*, Urbana: University of Illinois Press, 2012.

Huston, Aletha C., Diana Zuckerman, Brian L. Wilcox, Ed Donnerstein, Halford Fairchild, Norma D. Feshbach, Phyllis A. Katz, John P. Murray y Eli A. Rubinstein. *Big World, Small Screen: The Role of Television in American Society*, Child, Youth, and Family Services. Lincoln: University of Nebraska Press, 1992.

Hyun Sik, Kim. "Consequences of Parental Divorce for Child Development", *American Sociological Review* 76, no. 3 (2011), 487-511.

Jacob, Margaret C. *The Enlightenment: A Brief History with Documents*, Boston: Bedford, 2001.

Jamieson, Robert, A. R. Fausset y David Brown. *Commentary Critical and Explanatory on the Whole Bible*, Grand Rapids: Christian Classics Ethereal Library, 1871, 2009. Kindle.

Jensen, Irving. *Jensen's Survey of the New Testament*, Chicago: Moody Press, 1981.

Juan Pablo II. "Homily of His Holiness John Paul II". Abril 28, 2014. http://www.vatican.va/holy_father/john_paul_ii/homilies/1993/documents/hf_jp-ii_hom_19930815_gmg-denver_en.html.

Johnson, Gary L. y White, R. Fowler, eds., *Whatever Happened to the Reformation?*, Phillipsburg, NJ: P&R Publishing, 2001.

Jones, David W. y Russell S. Woodbridge, *Health, Wealth and Happiness: Has the Prosperity Gospel Overshadowed the Gospel of Christ?*, Grand Rapids: Kregel Publications, 2011.

Keller, Timothy J. *Every Good Endeavor: Connecting Your Work to God's Work*, New York: Riverhead Trade, 2014.

Keller, Timothy J. *The Reason for God: Belief in an Age of Skepticism*, New York: Penguin Group (USA), Inc., 2008.

Kelly, Douglas F. *The Emergence of Liberty in the Modern World: The Influence of Calvin on Five Governments from the 16th through 18th Centuries*, Phillipsburg, NJ: P&R Publishing, 1992.

Kennedy, D. James. *Lord of All*, Wheaton, IL: Crossway Books, 2005.

Kennedy, D. James. *Why the Ten Commandments Matter*, Fort Lauderdale, FL: Coral Ridge Ministries, 2005.

Kennedy, D. James y Jerry Newcombe. *What If Jesus Had Never Been Born? The Positive Impact of Christianity in History*, Nashville: Thomas Nelson Publishers, 2001.

Koschorke, Klaus, Frieder Ludwig, y Mariano Delgado. *A History of Christianity in Asia, Africa and Latin America 1450-1990: A Documentary Sourcebook*, Grand Rapids: W.B. Eerdmans Publishing Company, 2007.

Kosmin, Barry A., y Seymour P. Lachman, *One Nation Under God*, New York: Crown Publishers, 1993.

Kuyper, Abraham. *Lectures on Calvinism*, Grand Rapids: Eerdmans Printing Company, 2009. Kindle.

Laniak, Timothy S. *Shepherds after My Own Hear*, Downers Grove, IL: InterVarsity Press, 2006.

Lawson, Steven. *John Calvin, A Heart for Devotion, Doctrine and Doxology*, ed. Burk Parsons, 71-82. Lake Mary, FL: Reformation Trust, 2008.

Lejeune, Jérôme. "21 Thoughts". Mayo 2, 2014. http://lejeuneusa.org/advocacy/21-thoughts-dr-jérôme-lejeune#.U-ircF64mlJ.

Limpic, Ted. *Catálogo de Organizaciones Misioneras de Iberoamérica*. Guatemala City: COMIBAM Internacional, 2002.

Lloyd Jones, Martyn. *The Christian Soldier*, Grand Rapids: Baker Books, 1977.

Longman, Tremper, III, y Raymond B. Dillard. *An Introduction to the Old Testament*, segunda edición. Grand Rapids: Zondervan, 2006.

Lubenow, Marvin L. *Bones of Contention*, Grand Rapids: Baker Books, 2004.

Luther, Martin. *Works of Martin Luther*, Philadelphia: Muhlenberg Press, 1915.

Lutzer, Erwin W. *Christ among Other Gods*, Chicago: Moody Press, 1994.

Lutzer, Erwin W. *Conquering the Fear of Failure: Lessons from the Life of Joshua*, Grand Rapids: Kregel Publications, 2011.

Lutzer, Erwin W. *10 Lies about God and the Truth that Shatter Deception*, Grand Rapids: Kregel Publications, 2009.

Lynch, John. *New Worlds, A Religious History of Latin America*, New Haven, CT: Yale University Press, 2012.

MacArthur, John. *The Book on Leadership*, Nashville: Thomas Nelson Books, 2004.

MacArthur, John. *Law and Liberty: A Biblical Look at Legalism*, Orlando: The Northhampton Press, 2013.

MacArthur, John. *The Master's Plan for the Church*, Chicago: Moody Publishers, 2008. Kindle.

MacDonald, George. *Unspoken Sermons*, North Charleston, SC: CreateSpace Independent Publishing Platform, 2009.

MacDonald, William. *Believer's Bible Commentary*, Nashville: Thomas Nelson, 1989.

Malphurs, Aubrey. *Developing a Vision for Ministry*, Grand Rapids: Baker Book House, 1992.

Mangalwadi, Vishal. *The Book That Made Your World: How the Bible Created the Soul of Western Civilization*, Nashville: Thomas Nelson, 2011.

Mangalwadi, Vishal. *Truth and Transformation: A Manifesto for Ailing Nations* [Verdad y transformación: Un escrito para naciones en crisis], Seattle: YWAM Publishers, 2009.

Mangalwadi Vishal y Ruth Mangalwadi. *The Legacy of William Carey: A Model for the Transformation of a Culture*, Wheaton, IL: Crossway Books, 1999.

Mardsen, George. *Fundamentalism and American Culture*, Oxford: Oxford University Press, 2006. Kindle.

Martin, David. *Tongues of Fire: The Explosion of Protestantism in Latin America*, Oxford: Blackwell Publishers, 1993.

Martin, Glenn. *Prevailing Worldviews of Western Society Since 1500*, Marion, IN: Triangle Publishing, 2006.

Mathison, Keith A. *After Darkness, Light: Essays in honor of R. C. Sproul*, ed. R. C. Sproul, Jr., 31-52, Phillispsburg, NJ: Presbyterian & Reformed, Publishing, 2003.

Mauldon, Jane. "The Effects of Marital Disruption on Children's Health", *Demography* 27, no. 3 (August 1990), 431-46.

Mayhue, Richard. "Rediscovering Expository Preaching", en *Preaching, How to Preach Biblically*, ed. John MacArthur, 3-16. Nashville: Thomas Nelson, 2005.

McDowell, Stephen K. *Biblical Revival and the Transformations of Nations*, Charlottesville, VA: Providence Foundation, 2013. Kindle.

McDowell, Stephen K. *Building Godly Nations: Lessons from the Bible and America's History*, Charlottesville, VA: Providence Foundation, 2004. Kindle.

McDowell, Stephen K. y Mark Beliles A. *Liberating the Nations: Biblical Principles of Government, Education, Economics, & Politics*, Charlottesville, VA: Providence Foundation, 1995.

McNeill, John Thomas. *The History and Character of Calvinism*, Oxford: Oxford University Press, 1967.

Meacham, Jon. "The End of Christian America", *Newsweek*, abril 13 de 2009.

Miller, Darrow L., y Stan Guthrie. *Discipling Nations: The Power of Truth to Transform Cultures*, segunda edición. Seattle: YWAM Publishing, 2001.

Miller, Darrow L., y Stan Guthrie. *Nurturing the Nations: Reclaiming the Dignity of Women in Building Healthy Cultures*, Colorado Springs: Paternoster, 2008.

Minirth, Frank, Paul Meier, Frank Wichern, Bill Brewer, y States Skipper. *The Workaholic and His Family*, Grand Rapids: Baker Book House, 1981.

Mohler, R. Albert, Jr. *Culture Shift: Engaging Current Issues with Timeless Truth*, Colorado Springs: Multnomah Books, 2008.

Mohler, R. Albert, Jr. *The Disappearance of God: Dangerous Beliefs in the New Spiritual Openness*, Colorado Springs: Multnomah Books, 2009.

Mohler, R. Albert, Jr. *Words from the Fire: Hearing the Voice of God in the Ten Commandments*, Chicago: Moody Publishers, 2009.

Moreau, A. Scott, Gary R. Corwin y Gary B. McGee. *Introducing World Missions*, Grand Rapids: Baker Academics, 2004.

Morelend J. P. y Kai Nielsen. *Does God Exist?*, Amherst, MA: Prometheus Books, 1993.

Murphy, Martin. *The Church: The First Thirty Years*, Chipley, FL: Theocentric Publishing Group, 2013. Kindle.

Murray, Andrew. *The Collected Works of Andrew Murray*, Franklin, NC: The Christian Miracle Foundation Press, 2011. Kindle.

Nash, Ronald. *Worldviews in Conflict*, Grand Rapids: Zondervan Publishing House, 1992.

Naugle, David K. *Worldview: The History of a Concept*, Grand Rapids: W.B. Eerdmans Publishing Company, 2002.

Nettles, Tom. *Living by Revealed Truth*, London: Christian Focus, 2013.

Niebuhr, H. Richard. *Harper Torchbooks: Christ and Culture*, New York: Harper & Brothers, 1956.

Noebel, David A. *The Battle for Truth*, Eugene, OR: Harvest House Publishers, 2001.

Noll, Mark A. *One Nation Under God? Christian Faith and Political Action in America*, San Francisco: Harper & Row Publishers, 1988.

Noll, Mark A. *The Rise of Evangelicalism: The Age of Edwards, Whitefield, and the Wesleys*, Downers Grove, IL: InterVarsity Press, 2003.

Noll, Mark A. y Luke E. Harlow, eds. *Religion and American Politics: From the Colonial Period to the Present*, segunda edición. Oxford: Oxford University Press, 2007.

Noll, Mark A., George M. Marsden y Nathan O. Hatch. *The Search for Christian America*, Colorado Springs: Helmers & Howard, 1989.

Núñez C., Emilio. *Liberation Theology*, Chicago: Moody Press, 1985.

Núñez C., Emilio y William David Taylor. *Crisis in Latin America*, Chicago: Moody Press, 1989.

Ordeñez, Francisco. *Historia del Cristianismo Evangélico en Colombia*. Armenia, Colombia: Alianza Cristiana y Misionera, 1956.

Overman, Christian. *Assumptions That Affect Our Lives: How Worldviews Determine Values that Influence Behavior and Shape Culture*, Bellevue, WA: Ablaze Publishing Company, 2012. Kindle.

Packer, J. I. *Keeping the Ten Commandments*, Wheaton, IL: Crossway Books, 2008.

Patterson, James y Peter Kim. *The Day America Told the Truth*, New York: Plume, 1992.

Pearcey, Nancy. *Saving Leonardo: A Call to Resist the secular Assault on Mind, Morals, & Meaning*, Nashville: B&H Publishing, 2010.

Pearcey, Nancy. *Total Truth*, Wheaton, IL: Crossway Books, 2004.

Pentecost, Dwight J. *The Words and Works of Jesus Christ*, Grand Rapids: Zondervan, 1981.

Penyak, Lee M., y Walter J. Petry, eds. *Religion and Society in Latin America: Interpretive Essays from Conquest to Present*, Maryknoll, NY: Orbis Books, 2009.

Peterson, David G. *The Acts of the Apostles*, en *The Pillar New Testament Commentary*, Grand Rapids: William. B. Eerdmans Publishing Company, 2009.

Phillips, John. *Exploring Acts: An Expository Commentary*, Grand Rapids: Kregel Publications, 2001.

The Ten Commandments, Grand Rapids: Baker Books, 1994.

Piper, John, y Wayne Grudem. *Recovering Biblical Manhood and Womanhood*, Wheaton, IL: Crossway Books, 1991.

Piper, John, David Mathis y Richard Warren. *Thinking, Loving, Doing: A Call to Glorify God with Heart and Mind*, Wheaton, IL: Crossway, 2011.

Piper, John, y Justin Taylor. *The Supremacy of Christ in a Postmodern World*, Wheaton, IL: Crossway Books, 2007.

Pratt, Zane, David Sills y Jeff K. Walters. *Introduction to Global Missions*, Nashville: B&H Publishing Company, 2014

Ramachandra, Vinoth. *Gods That Fail*, Downers Grove, IL: InterVarsity Press, 1996.

Reid, Stanford, ed. *John Calvin: His Influence in the Western World*, Grand Rapids: Zondervan, 1982.

Richard, Ramesh. *Preparing Expository Sermons*, Grand Rapids: Baker Books, 2005.

Robert, Dana Lee. *Christian Mission: How Christianity Became a World Religion*, Blackwell Brief Histories of Religion Series. Chichester, UK: Wiley-Blackwell, 2009.

"Roe v. Wade 410 U.S. 113 (1973)", Mayo 26, 2014. https://supreme.justia.com/cases/federal/us/410/113/case.html.

Rooker, Mark. *The Ten Commandments: Ethics for the Twenty-First Century*, en *New*

Rooker, Mark. *American Commentary Studies in Bible and Theology*, Nashville: B&H Publishing, 2010.

Rusello, Gerald. *Christianity and European Culture: Selections from the Work of Christopher Dawson*, Washington, DC: The Catholic University of America Press, 1998.

Russell, Bob. *When God Builds a Church*, New York: Howard Books, 2000.

Russo, Francine, "Caring for Aging Parents: Should There Be a Law?", *Revista Time*, abril 28 de 2014. http://healthland.time.com/2013/07/22/caring-for-aging-parentsshould-there-be-a-law.

Ryken, Philip Graham. *Exodus: Saved for God's Glory*, en *Preaching the Word Series*, Wheaton, IL: Crossway Books, 2005.

Ryken, Philip Graham. *Written in Stone: The Ten Commandments and Today's Moral Crisis*, Phillipsburg, NJ: P&R Publishing, 2010.

Sailhamer, John H. *Genesis*, en *The Expositor's Bible Commentary*, Ed. Tremper Longman III y David Garland, 1-331. Grand Rapids: Zondervan, 2008.

Salinas, J. Daniel. *The Great Commission*, Ed. Martin I. Klauber y Scott M. Manetsch. Nashville: B&H Publishing Group, 2008.

Samples, Kenneth Richard. *A World Of Difference*, Grand Rapids: Baker Books, 2007.

Sandoz, Ellis. *Political Sermons of the American Founding Era, 1730-1805*, Indianapolis: Liberty Fund, 1998.

Schaeffer, Francis A. *The Christian Manifesto*. In *The Complete Works of Francis A. Schaeffer: A Christian Worldview*, 415-541, Wheaton, IL: Crossway, 1985.

Schaff, Phillip. *History of the Christian Church*, Grand Rapids: WM. B. Eerdmans Publishing Company, 1991.

Schenck, Robert. *The Ten Words That Will Change a Nation: The Ten Commandments*, Manassas, VA: Albury Publishing, 1999.

Schmidt, Alvin J. *How Christianity Changed the World*, Grand Rapids: Zondervan Publishing House, 2001. Kindle.

Under the Influence: How Christianity Transformed Civilization, Grand Rapids: Zondervan Publishing House, 2001.

Schnabel, Eckhard J. *Acts*. In vol. 5 of *Zondervan Exegetical Commentary on the New Testament*, ed. Clinton E. Arnold, 21-1101. Grand Rapids: Zondervan, 2012.

"School District of Abington Tp. v. Schempp 374 U.S. 203 (1963)", Mayo 26, 2014. https://supreme.justia.com/cases/federal/us/374/203/case.html.

Scott, Smith Gary. *God and Politics: Four View on the Reformation of Civil Government: Theonomy, Principled Pluralism, Christian America, National Confessionalism*, Phillipsburg, NJ: Presbyterian and Reformed Publishing Company, 1989.

Seitz, Christopher R. y Carl E. Braaten. *I Am the Lord Your God: Christian Reflections on the Ten Commandments*, Grand Rapids: William B. Eerdmans Publishing Co., 2008.

Shapiro, Walter. "What's Wrong: Hypocrisy, Betrayal and Greed Unsettle the Nation's Soul", *Revista Time*, mayo 25 de 1987.

Sharpe, Kenneth E. "The Real Cause of Irangate", *Foreign Policy* 68 (septiembre de 1987), 19-41.

Sheldon, Henry. *History of the Christian Church*, New York: Hendrickson Publishers, 1994.

Singer, Peter. "Taking Life: Humans", *Practical Ethics*, 175-217. Cambridge: Cambridge University Press, 1993.

Sire, James W. *The Universe Next Door: A Basic Worldview Catalog*, Downers Grove, IL: InterVarsity Press, 1987.

Spence, H. D. M. y Joseph S. Exell. *Genesis, Exodus*, en *The Pulpit Commentary*, Ed. Joseph S. Exell. Mclean, VA: Macdonald Publishing Company, 1985.

Sproul, R. C. *Acts*, en *St. Andrew's Expositional Commentary*, Wheaton, IL: Crossway, 2010.

Sproul, R. C. Prólogo a *Whatever Happened to the Reformation?*, ed. Gary L. W. Johnson y R. Fowler White, xii. Phillipsburg, NJ: P&R Publishing, 2001.

Sproul, R. C. *The Holiness of God*, Carol Stream, IL: Tyndale House Publishers, 1998.

Sproul, R. C. *How Should I Live in this World?*, Orlando: Reformation Trust, 2009. Kindle.

Sproul, R. C. *Not a Chance: The Myth of Chance in Modern Science and Cosmology*, Grand Rapids: Baker Books, 1994.

Sproul, R. C. *Now, That's a Good Question!*, Wheaton, IL: Tyndale House Publishers, 1996.

Stark, Rodney. *For the Glory of God: How Monotheism Led to Reformations, Science, Witch-hunts, and the End of Slavery*, Princeton, NJ: Princeton University Press, 2004.

Stark, Rodney. *The Rise of Christianity*, San Francisco: Harper, 1997.

Steigenga, Timothy J. y Edward Cleary L. *Conversion of a Continent: Contemporary Religious Change in Latin America*, New Brunswick, NJ: Rutgers University Press, 2007.

Stetson, Brad y Joseph Conti G. *The Truth about Tolerance: Pluralism, Diversity, and the Culture Wars*, Downers Grove, IL: InterVarsity Press, 2005.

Stetzer, Ed. *Planting Missional Churches*, Nashville: Broadman & Holman, 2006.

Stoll, David. *Is Latin America Turning Protestant? The Politics of Evangelical Growth*, Berkeley: University of California Press, 1990.

Stoll, David. *Rethinking Protestantism in Latin America*, ed. Virginia Garrard-Burnett y David Stoll. Philadelphia: Temple University Press, 1993.

Stott, John. *La Fe Cristiana Frente a los Desafíos Contemporáneos*, Grand Rapids: Libros Desafíos, 2002.

Stott, John. *The Living Church*, Downers Grove, IL: InterVarsity Press Books, 2007.

Strohschein, Lisa A. "Prevalence of Methylphenidate Use among Canadian Children Following Parental Divorce", *Canadian Medical Association Journal* 176, no. 12 (junio 5 de 2007), 751.

Suzuki, Takahiro. *What made Korea Become a Christian Country*, Nagoya, Japan: PowerMeUpPublishing.com, 2013.

Tenney, Merrill. *New Testament Survey*, Grand Rapids: Eerdmans Publishing Company, 1985.

Thomas, Derek. *Acts*, en *Reformed Expository Commentary*, Phillipsburg, NJ: P&R Publishing, 2011.

Tozer, Aiden W. *The Knowledge of the Holy*, New York: Harper & Row, 2009.

Trueman, Carl R. *Reformation: Yesterday, Today and Tomorrow*, Fearn, Scotland: Christian Focus, 2011.

Turner, Steve. *Can Man Live without God?*, ed. Ravi Zacharias, 42. Nashville: Thomas Nelson, 2004.

U.S. Department of Justice. "What Can the Federal Government Do to Decrease Crime and Revitalize Communities?", Panel Reports, enero del 5 al 7 de 1998. https://www.ncjrs.gov/pdffiles/172210.pdf.

U.S. Department of the Treasury. "History of In God We Trust". Agosto 13, 2014. http://www.treasury.gov/about/education/Pages/in-god-we-trust.aspx.

U.S. District Court, Southern District of West Virginia. "The Pledge of Allegiance and Our Flag of the United States, Their History and Meaning". Agosto 13, 2014. http://wayback.archive.org/web/20060923131158/http://www.wvsd.uscourts.gov/outreach/Pledge.htm.

U.S. District Court, Southern District of West Virginia. "U.S. National Debt Clock". Actualizado a Abril, 2014. http://www.brillig.com/debt_clock/.

U.S. Supreme Court. "Edwards v. Aguillard," *482 U.S. 578* (1987), No. 85-1513", Mayo 8, 2014. https://supreme.justia.com/cases/federal/us/482/578/case.html.

VanGemeren, Willem A. *The Law is the Perfection of righteousness in Jesus Christ: A Reformed Perspective, in Law and Gospel, Five Views*, Grand Rapids: Zondervan, 1999.

Van Til, Cornelius. *The Ten Commandments*, Philadelphia: Westminster Theological Seminary, 1933. Kindle.

Veith, Gene Edward. *Postmodern Times: A Christian Guide to Contemporary Thought and Culture*, Wheaton, IL: Crossway Books, 1994.

Wagner, C. Peter. *Church Planting for a Greater Harvest: A Comprehensive Guide*, Ventura, CA: Regal Books, 1990.

Wallerstein, Judith, Julia Lewis, y Sandra Blakeslee. *The Unexpected Legacy of Divorce: A 25-Year Landmark Study*, New York: Hyperion, 2000.

Walton, John H. *Ancient Near Eastern Thought and The Old Testament*, Grand Rapids: Baker Academics, 2006.

Walton, John H. *Genesis*, en *The NIV Application Commentary*, Grand Rapids: Zondervan, 2001. Kindle.

Watson, Thomas. *The Ten Commandments*, Edinburgh: Banner of Truth Trust, 1965.

Webster, William. *The Gospel of the Reformation*, Battle Ground, WA: Christian Resources Inc., 1997.

Wells, David F. *Above All Earthly Powers: Christ in a Postmodern World*, Grand Rapids: William B. Eerdmans Publishing, 2006.

Wells, David F. *Turning to God*, Grand Rapids: Baker Books, 2012.

Wilken, Robert Louis. *The First Thousand Years: A Global History of Christianity*, New Haven, CT: Yale University Press, 2012.

Wilkens, Steve, y Mark L. Sanford. *Hidden Worldviews: Eight Cultural Stories That Shape Our Lives*, Downers Grove, IL: InterVarsity Press, 2009.

Williamson, Edwin. *The Penguin History of Latin America*, London: Penguin, 2009.

Willsher, Kim. "Look After Aged Parents or Else, France Warns Absent Families", Telegraph Media Group. Abril 28, 2014. http://www.telegraph.co.uk/news/worldnews/europe/france/1454419/Look-after-aged-parents-or-else-Francewarns-absent-families.html.

Wilsey, John D. *One Nation under God? An Evangelical Critique of Christian America*, Eugene, OR: Pickwick Publications, 2011.

Woodbridge, John D. *Church History: The Rise and Growth of the Church in Its Cultural, Intellectual, and Political Context*, Grand Rapids: Zondervan, 2013.

Woodbrige, John D. y David F. Wright. *The Age of Reason: From the Wars of Religion to the French Revolution, 1570–1789*, Grand Rapids: Baker Books, 2006.

Yancey, Philip. *Christians and Politics: Uneasy Partners*, Grand Rapids: Zondervan, 2012. Kindle.

Young, Edward J. *Book of Isaiah: The English Text, with Introduction, Exposition, and Notes*, Grand Rapids: Wm. B. Eerdmans Publishing Company, 1992.

Zacharias, Ravi. *Telling the Truth*, ed. D. A. Carson, 3-13. Grand Rapids: Zondervan, 2000.

Otros libros de
MIGUEL NÚÑEZ

El Dr. Miguel Núñez (MD, Dmin) sirve como el pastor titular de la Iglesia Bautista Internacional (IBI) en Santo Domingo, República Dominicana, y es el presidente y fundador del *Ministerio Integridad y Sabiduría*, que tiene como visión impactar la generación de hoy con la revelación de Dios en el mundo hispanohablante. El pastor Núñez y su equipo ministerial son responsables  de la conferencia anual "Por Su Causa", la cual reúne miles de latinoamericanos en República Dominicana animándolos a regresar a un cristianismo bíblico histórico.

TÍTULOS DE LA SERIE

LA PALABRA DE DIOS PARA TI

"Todo Gálatas habla del evangelio: el evangelio que todos necesitamos durante toda la vida. **¡Este evangelio es como dinamita!** Oro para que su poderoso mensaje explote en tu corazón mientras lees este libro".

- Timothy Keller

LÉELOS • ESTÚDIALOS • ÚSALOS

Descubre *el evangelio*
Descubre a **Jesús**

Encuentros con Jesús
Respuestas inesperadas a las preguntas más grandes de la vida

¿Cuál es mi propósito en la vida?

Jesús *cambió la vida* de cada persona que conoció cuando se encontró con ellos y les dio respuestas inesperadas a sus preguntas más grandes. *Encuentros con Jesús* muestra cómo las vidas de muchas personas fueron transformadas cuando se encontraron con Jesús personalmente —y cómo nosotros podemos ser transformados hoy a través de un encuentro personal con Él.

Los Cantos de Jesús
Un año de devocionales diarios en los Salmos

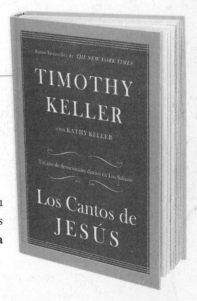

¿Sabías que Jesús cantaba Los Salmos en Su vida diaria? Él conoció los 150 Salmos íntimamente y los recordaba para enfrentar cada situación, incluyendo Su muerte.

¡Los Salmos son los Cantos de Jesús!

En este devocional, Timothy Keller y su esposa Kathy te mostrarán profundidades en Los Salmos que te **llevarán a tener una relación más íntima con Dios.**

Nuevas Misericordias Cada Mañana

365 reflexiones para recordarte el evangelio todos los días. Nada de "frases bonitas de autoayuda". El autor bestseller Paul David Tripp sabe lo que realmente necesitas: un encuentro real con el Dios vivo. Solo entonces estarás preparado para confiar en Su bondad, descansar en Su gracia y vivir para Su gloria todos los días del año. Deja que este libro te energice con el más potente aliento imaginable: **¡el evangelio!**

Trabajo y Redención

TRABAJO. Para algunos esta palabra representa algo penoso y esclavizante. Para otros es un ídolo al que sirven con todas sus fuerzas. No importa si eres adicto al trabajo o si ves tu trabajo como un pesadilla, **es hora de conectar la adoración del domingo con tu trabajo del lunes**. En este libro encontrarás una nueva perspectiva del trabajo que **transformará tu vida laboral** y hará que tus horas en el trabajo tengan impacto ¡no solo por hoy, sino por la eternidad!

El Jardín, la Cortina y la Cruz

"Hace mucho, mucho tiempo, aquí mismo, en este mundo, había un jardín. En este jardín todo era maravilloso. El mundo estaba lleno de carcajadas, sonrisas y diversión. Allí nada era malo, nunca. Allí nadie estaba triste, jamás. Pero entonces, un día...". Lee la asombrosa historia de toda la Biblia, *por qué Jesús murió y resucitó*, **¡y cómo TÚ puedes ser parte de esta historia!**

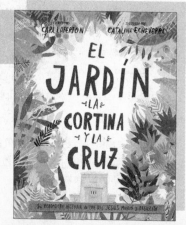

COALICIÓN POR EL EVANGELIO es una hermandad de iglesias y pastores comprometidos con promover el evangelio y las doctrinas de la gracia en el mundo hispanohablante, enfocar nuestra fe en la persona de Jesucristo, y reformar nuestras prácticas conforme a las Escrituras. Logramos estos propósitos a través de diversas iniciativas, incluyendo eventos y publicaciones. La mayor parte de nuestro contenido es publicado en www.coalicionporelevangelio.org, pero a la vez nos unimos a los esfuerzos de casas editoriales para producir y colaborar en una línea de libros que representen estos ideales. Cuando un libro lleva el logo de Coalición, usted puede confiar en que fue escrito, editado y publicado con el firme propósito de exaltar la verdad de Dios y el evangelio de Jesucristo.

TGC | COALICIÓN

El Evangelio
¡para cada rincón de la Vida!

Poiema /POY-EMA/ es la palabra griega que se refiere a una obra creada por Dios. Es la raíz de nuestra palabra "poema", que nos insinúa algo artístico, no una simple fabricación. Pablo dice:

Porque somos la obra maestra (POIEMA) de Dios, creados de nuevo en Cristo Jesús…
Efesios 2:10

El propósito de Poiema Publicaciones es reflejar la imagen de nuestro Creador, creando libros de alta calidad, accesibles, agradables y pertinentes al mundo caído en el que vivimos. Dios nos invita a tomar parte en la redención de toda Su creación en Jesús. En Poiema Publicaciones, sentimos un llamado a que nuestra lectura ¡también sea redimida!

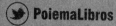
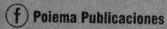